总主编 单墫 熊斌

奥数教程

·第五版·

华东师范大学出版社

二年级 熊 斌 胡大同

周洁婴 杨琛敏 编 著

图书在版编目（CIP）数据

奥数教程.二年级/熊斌,胡大同等编著.—上海:华东师范
大学出版社,2010.5
　ISBN 978－7－5617－3281－6

　Ⅰ.奥...　Ⅱ.①熊...②胡...　Ⅲ.数学课—小学—教学
参考资料　Ⅳ.G624.503

　中国版本图书馆 CIP 数据核字(2003)第 031483 号

奥数教程·二年级·
（第五版）

总 主 编　单　墫　熊　斌
编　著　熊　斌　胡大同　周洁婴　杨琛敏
策划组稿　倪　明　孔令志
审读编辑　严小敏
封面设计　高　山
版式设计　蒋　克

出版发行　**华东师范大学出版社**
社　　址　上海市中山北路 3663 号　邮编 200062
电话总机　021－62450163 转各部门　行政传真 021－62572105
客服电话　021－62865537(兼传真)
门市(邮购)电话　021－62869887
门市地址　上海市中山北路 3663 号华东师范大学校内先锋路口
网　　址　www.ecnupress.com.cn

印 刷 者　上海商务联西印刷有限公司
开　　本　890×1240　32 开
印　　张　6.5
字　　数　147 千字
版　　次　2010 年 6 月第五版
印　　次　2013 年 3 月第 29 次
书　　号　ISBN 978－7－5617－3281－6/G·1727
定　　价　13.00 元

出版人　朱杰人

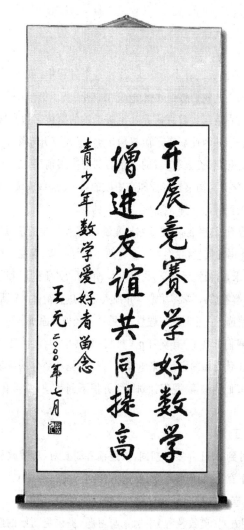

开展竞赛学好数学
增进友谊共同提高

青少年数学爱好者留念

王元 二〇〇〇年七月

著名数学家、中国科学院院士、原中国数学奥
林匹克委员会主席王元先生致青少年数学爱好者

致 读 者

　　《奥数教程》的出版已有十个年头了．在这个过程中，包含了作者和编辑的辛勤劳作，更多的是让我们感到欣慰．这套书，曾荣获了第十届全国教育图书展的优秀畅销书奖；香港现代教育研究社出版了她的繁体字版和网络版，成为香港的畅销图书之一，并因此获得了版权输出奖；据北京开卷图书市场研究所的监控销售数据，近几年《奥数教程》的销量名列同类书前茅，尤其是初一和高一分册分别获得数学竞赛图书初中段和高中段的第一．这些成绩的取得与作者们精到的创作，广大读者的支持、呵护是分不开的．

　　为了使《奥数教程》更健康、更成熟地发展，为了使学生的学习生活更主动、更有效，不断提高图书的质量，我们差不多每两年修订一次，现在已经是第五版了．应广大读者的要求，方便读者自学，我们为本书配了"学习手册"和"能力测试"．把本书习题的详细解答放入"学习手册"，并加入竞赛热点精讲．全新的"能力测试"针对本书每讲，精选了一小时的习题量，帮助读者轻松巩固所学知识．

　　七八年前，我们开展了"有奖订正"和"巧解共享"两项活动，得到了读者的支持与配合，不少读者纷纷来信、来电提出订正意见和更好的解法．这是对我们的鼓励，更是对我们的鞭策．我们计划继续开展下列活动，希望有更多的读者朋友乐于参与．

　　一、有奖订正

　　2010 年 8 月到 2011 年 8 月期间，欢迎读者朋友对《奥数教程》(第五版，共12 册)，提出改正意见，我们将对"纠错能手"给予奖励．

　　二、巧解共享

　　欢迎读者朋友对《奥数教程》中例题与习题，提供更巧妙的解法．我们将选择有新意的、合适的解法在网上公布，以与其他读者朋友共享．凡在修订时被采用者，我们将署上提供者的姓名，并支付相应的稿酬．

　　我们衷心祝愿《奥数教程》永远成为您的好朋友．

华东师范大学出版社

前　言

据说在很多国家,特别是美国,孩子们害怕数学,把数学作为"不受欢迎的学科".但在中国,情况很不相同,很多少年儿童喜爱数学,数学成绩也都很好.的确,数学是中国人擅长的学科,如果在美国的中小学,你见到几个中国学生,那么全班数学的前几名就非他们莫属.

在数(shǔ)数(shù)阶段,中国儿童就显出优势.

中国人能用一只手表示 1~10,而很多国家非用两只手不可.

中国人早就有位数的概念,而且采用最方便的十进制(不少国家至今还有 12 进制,60 进制的残余).

中国文字都是单音节,易于背诵,例如乘法表,学生很快就能掌握,再"傻"的人也都知道"不管三七二十一".但外国人,一学乘法,头就大了.不信,请你用英语背一下乘法表,真是佶屈聱牙,难以成诵.

圆周率 π=3.141 59…. 背到小数后五位,中国人花一两分钟就够了.可是俄国人为了背这几个数字,专门写了一首诗,第一句三个单词,第二句一个……要背 π 先背诗,这在我们看来简直是自找麻烦,可他们还作为记忆的妙法.

四则运算应用题及其算术解法,也是中国数学的一大特色.从很古的时候开始,中国人就编了很多应用题,或联系实际,或饶有兴趣,解法简洁优雅,机敏而又多种多样,有助于提高学生的学习兴趣,启迪学生智慧.例如:

"一百个和尚一百个馒头,大和尚一个人吃三个,小和尚三个人吃一个,问有几个大和尚,几个小和尚?"

外国人多半只会列方程解.中国却有多种算术解法,如将每个大和尚"变"成 9 个小和尚,100 个馒头表明小和尚是 300 个,多出 200 个和尚,是由于每个大和尚变小和尚,多变出 8 个,从而 200÷8=25 即是大和尚人数.小和尚自然是 75 人,或将一个大和尚与 3 个小和尚编成一组,平均每人吃一个馒头.恰好与总体的平均数相等.所以大和尚与小和尚这样编组后不多不少,即大和尚是 100÷(3+1)=25 人.

中国人善于计算,尤其善于心算.古代还有人会用手指计算(所谓"掐指一算").同时,中国很早就有计算的器械,如算筹、算盘.后者可以说是计算机的雏形.

在数学的入门阶段——算术的学习中,我国的优势显然,所以数学往往是我国聪明的孩子喜爱的学科.

几何推理,在我国古代并不发达(但关于几何图形的计算,我国有不少论著),比希腊人稍逊一筹.但是,中国人善于向别人学习.目前我国中学生的几何水平,在世界上遥遥领先.曾有一个外国教育代表团来到我国一个初中班,他们认为所教的几何内容太深,学生不可能接受,但听课之后,不得不承认这些内容中国的学生不但能够理解,而且掌握得很好.

我国数学教育成绩显著.在国际数学竞赛中,我国选手获得众多奖牌,就是最有力的证明.从 1986 年我国正式派队参加国际数学奥林匹克以来,中国队已经获得了 14 次团体冠军,可谓是成绩骄人.当代著名数学家陈省身先生曾对此特别赞赏.他说:"今年一件值得庆祝的事,是中国在国际数学竞赛中获得第一……去年也是第一名."(陈省身 1990 年 10 月在台湾成功大学的讲演"怎样把中国建为数学大国")

陈省身先生还预言:"中国将在 21 世纪成为数学大国."

成为数学大国,当然不是一件容易的事,不可能一蹴而就,它需要坚持不懈的努力.我们编写这套丛书,目的就是:(1)进一步普及数学知识,使数学为更多的青少年喜爱,帮助他们取得好的成绩;(2)使喜爱数学的同学得到更好的发展,通过这套丛书,学到更多的知识和方法.

"天下大事,必作于细."我们希望,而且相信,这套丛书的出版,在使我国成为数学大国的努力中,能起到一点作用.本丛书初版于 2000 年,现根据课程改革的要求对各册再作不同程度的修订.

著名数学家、中国科学院院士、原中国数学奥林匹克委员会主席王元先生担任本丛书顾问,并为青少年数学爱好者题词,我们表示衷心的感谢.还要感谢华东师大出版社及倪明、孔令志先生,没有他们,这套丛书不会是现在这个样子.

单 墫 熊 斌

2010 年 5 月

目　录

第 **1** 讲

加减法中的简便运算

加减法的简便运算,我们要注意:同级运算,括号外面是减号的,添上或去掉括号,括号里的加减号符号要改变,加号要变成减号、减号要变成加号.当所有括号都去掉后,可以将数与前面的符号一起移动,第一个数前面为加号,可省略.我们必须知道下面这些常用的简便运算方法.

加法:(1) $A+B=B+A$; (2) $(A+B)+C=A+(B+C)$.

减法:(1) $A-B-C=A-(B+C)$;

$\qquad$ (2) $A-B+C=A-(B-C)$.

 例1 运用加法中的凑整,计算:

(1) $64+97$; $\qquad$ (2) $999+99+9$.

解 (1)中的 97 接近于 100,$64+97$ 可以看成 $64+100$,多加了 3,所以最后还要减 3.

(2)中的 3 个加数都分别接近整千、整百、整十数,我们可以把 999 看作 1000,99 看作 100,9 看作 10,这样每个数都多加了 1,最后再从它们的和中减去 3,就可以得到答案.

(1) $64+97$ $\qquad$ (2) $999+99+9$

$\quad =64+100-3$ $\qquad =1000+100+10-3$

$\quad =164-3$ $\qquad\quad =1110-3$

$\quad =161$; $\qquad\qquad =1107$.

计算：(1) 98＋113；　(2) 109＋98＋3.

 例 2　运用加法的交换律与结合律，计算：

$$345＋27＋655＋373.$$

解　题目中的 345 与 655、27 与 373 分别能凑成整千、整百数，所以可以利用加法的交换律和结合律，先交换加数的位置，再凑整.

$$345＋27＋655＋373$$
$$=(345＋655)＋(27＋373)$$
$$=1000＋400$$
$$=1400.$$

随堂练习 2　　计算：329＋67＋233＋271.

例 3　运用减法中的凑整，计算：

(1) 375－98；　　　　　(2) 534－109.

解　(1)中的 98 接近 100，可以把原式看作是 375－100，多减了 2，所以还要加上 2.

(2)中的 109 接近 100，可以把原式看作是 534－100，少减了 9，所以还要减去 9.

(1) 375－98　　　　　(2) 534－109
　=375－100＋2　　　　=534－100－9
　=275＋2　　　　　　=434－9
　=277；　　　　　　=425.

随堂练习 3　　计算：(1) 562－205；　(2) 624－96.

例4 运用减法的性质,计算:

(1) $869-(69+34)$; (2) $500-56-44$.

解 (1) 869 减 69 与 34 的和,利用减法的性质可以转化成 869 连续减 69 和 34,即 $869-69-34$,869 减 69 能得到整百数,再用所得的差 800 减 34 即可.

(2) 500 连续减去 56 与 44,而 56 与 44 正好可以凑成整百数 100,所以用 500 减去 56 与 44 的和.

(1) $869-(69+34)$

$=869-69-34$

$=800-34$

$=766$;

(2) $500-56-44$

$=500-(56+44)$

$=500-100$

$=400$.

随堂练习4 计算:

(1) $521-173-127$; (2) $237-(29+137)$.

 例5 找基准数巧算:$93+92+88+89+90+86+91+87$.

解 仔细观察这道题目,你一定会发现:这 8 个数的大小相差不是很大,而且都与 90 非常接近.所以可以先将这些数全都看成 90,就是 8 个 90,然后再将原来的每个数与 90 相比,比 90 大的,多几就再加几;比 90 小的,少几就再减几.这种巧算的方法就叫"找基准数".

$93+92+88+89+90+86+91+87$

$=(90+3)+(90+2)+(90-2)+(90-1)+90+$

$(90-4)+(90+1)+(90-3)$

$=90\times8+(3+2-2-1-4+1-3)$

$=720-4$

-716.

随堂练习5　　计算：$72+70+75+74+67+66$.

例6　运用加减法的性质，计算：

$$500-82-18-83-17-86-14-85-15.$$

解　仔细观察这道题目可以发现，用减法的性质以及加法中凑整的方法就可以使计算简便，这里的 8 个减数可两两凑成 100，合起来有 4 个 100，然后用 500 减去 400 得 100.

$$500-82-18-83-17-86-14-85-15$$
$$=500-[(82+18)+(83+17)+(86+14)+(85+15)]$$
$$=500-400$$
$$=100.$$

随堂练习6　　计算：$1000-76-24-64-36-55-45$.

练 习 题

1 计算：(1) $597+27$；　　　(2) $751+3009$.

2 计算：(1) $19+199+1999$；　(2) $203+33+6003$.

3 计算：(1) $89+667+233+911$；

(2) $89+123+567+377+511+233$.

4 计算：(1) $423-97$；　　　　(2) $781-207$.

5 计算：(1) $635-426-174$；　(2) $558-(229+258)$.

6 计算：$203+200+198+205+196$.

7 计算：$821-68-32-81-19-23-77-44-56$.

8 计算：$393+4992+1995+294+98$.

9 计算：(1) $879+(263-379)-663$；

(2) $602-593+494-398$.

⑩ 计算：$2222200000-22222$.

⑪ 计算：$5371860000000-537186$.

⑫ 计算：$20+19-18-17+16+15-14-13+12+11-$
$10-9+8+7-6-5+4+3-2-1$.

第 2 讲

用加减法关系来求未知数

加法各部分间的关系是：

　　和＝加数＋加数，一个加数＝和－另一个加数.

减法各部分间的关系是：

差＝被减数－减数，减数＝被减数－差，被减数＝减数＋差.

　　应用加减法各部分间的关系，可以验算加减法是否正确，也可以求加减法算式中的未知数.

　　在列含有未知数 x 的等式解答文字题和应用题时，第一步"设"所求的未知数为 x；第二步按照题意列出含有未知数 x 的等式；第三步解出未知数是多少，要注意的是求出的 x 所代表的数不写单位名称；最后再写出答案.

例1 　求 $x+105=400$ 中的未知数 x.

解 　x 代表的是加数，我们可以根据一个加数＝和－另一个加数，来求未知数 x.

$$x+105=400,$$
$$x=400-105,$$
$$x=295.$$

随堂练习1 　求未知数 x.

(1) $x + 38 = 51$;　　　　(2) $45 + x = 62$.

 例2　27 加上什么数得 70?

解　这是一道含有未知数 x 的文字题,首先要设要求的数为 x,然后利用加法各部分间的关系,求出未知数 x.

设要求的数为 x.

$$27 + x = 70,$$
$$x = 70 - 27,$$
$$x = 43.$$

随堂练习2　什么数加上 49 得 71?

 例3　求未知数 x.

(1) $x - 48 = 35$;　　　　(2) $135 - x = 98$.

解　(1)里 x 代表被减数,可以根据"被减数＝差＋减数"来求 x;(2)里 x 表示减数,可以根据"减数＝被减数－差"来求 x.

(1) $x - 48 = 35$,　　　　(2) $135 - x = 98$,
$\quad\quad x = 35 + 48$,　　　　$\quad\quad\quad x = 135 - 98$,
$\quad\quad x = 83$;　　　　$\quad\quad\quad\quad x = 37$.

随堂练习3　求未知数 x.

(1) $x - 29 = 43$;　　　　(2) $64 - x = 48$.

 例4　80 比什么数大 49,这个数是多少?

解　第一步先用 x 表示未知数,设要求的数为 x.第二步再想所求的未知数在减法中是什么数,这道题中的 x 所表示的是减数.

设要求的数为 x.

$$80 - x = 49,$$
$$x = 80 - 49,$$
$$x = 31.$$

随堂练习 4 一个数减去 42 得 33,这个数是多少?

✌ **例 5** 牧场里养的肉牛比奶牛多 16 头,肉牛有 94 头,奶牛有多少头?

解 把要求的"奶牛有多少头"设为未知数 x,根据

"奶牛的头数+肉牛比奶牛多的头数=肉牛的头数"

这个等量关系式,列出含有未知数 x 的等式.

设奶牛有 x 头.

$$x + 16 = 94,$$
$$x = 94 - 16,$$
$$x = 78.$$

答:奶牛有 78 头.

随堂练习 5 小丁丁买了一支钢笔和一支圆珠笔一共花了 22 元,一支钢笔是 15 元,一支圆珠笔是多少元?

✌ **例 6** 学校买来一些粉笔,用去 28 盒,还剩 42 盒,学校买来多少盒粉笔?

解 我们把"学校买来多少盒粉笔"设为未知数 x,根据

"买来的盒数－用去的盒数＝剩下的盒数"

这个等量关系式,列出含有未知数 x 的等式.

设买来粉笔 x 盒.

$$x - 28 = 42,$$
$$x = 42 + 28,$$
$$x = 70.$$

答:学校买来 70 盒粉笔.

随堂练习6 班级图书角里一共有 50 本故事书,同学们借去一些后,还剩 23 本,借去了多少本?

练 习 题

1 填空.

一个加数＝( )○( );

减数＝( )－( );

被减数＝差＋( );

应用加法各部分间的关系,可以验算( );

应用减法各部分间的关系,可以验算( ).

2 判断.

(1) ( )＋50＝90 中,是已知两个加数,求和. ( )

(2) 甲数是 40,比乙数多 38,乙数是 78. ( )

(3) 135－x＝88,则 x 等于 47. ( )

3 选择.

(1) $x-357=128$ 中的 $x=($ $)$；

(A) $357+128$ (B) $357-128$

(2) $x-\square=\triangle$, $x=($ $)$.

(A) $\square+\triangle$ (B) $\triangle-\square$ (C) $\square-\triangle$

4 求未知数 x.

(1) $x+15=34$；   (2) $32+x=71$.

5 求未知数 x.

(1) $x-43=51$；   (2) $80-x=69$.

6 列式计算.

(1) 16 加上什么数得 49？

(2) 两个数的差是 55，减数是 63，被减数是多少？

(3) 被减数是 80，差是 28，减数是多少？

7 填表.

加数	53	53	86		17	
加数	28		57	63		27
和		79		72	88	65

8 填表.

被减数	53	79	86		88	
减数	28		57	63		27
差		53		72	17	65

9 某班同学有 60 人,其中 24 人参加了书法班,其余全参加了竖笛班,参加竖笛班的有多少人?

10 一本故事书有 64 页,小武读了一些,还剩 38 页没有读,小武读了多少页?

11 学校的空模小组有 18 人,比航模小组少 6 人,航模小组有多少人?

12 学校买来一批粉笔,用去 32 盒,还剩 166 盒,学校买来多少盒粉笔?

第 **3** 讲

火柴棒游戏

小小的火柴棒王国里,有着很多奇妙的问题,解决这些问题,可以使我们增长智慧,变得更聪明. 这一讲我们利用火柴棒拼算式和图形. 小朋友,一起来做游戏吧!

我们先用火柴棒来搭出 10 个数字及运算符号(为了简便,我们去掉火柴棒的"头"):

(1) 分别代表 10 个数字.

(2) 用 **十**、**一** 分别代表加、减号.

例1 下面的算式是错误的,请移动 1 根火柴棒使算式正确.

$$| + | + || = |$$

解 从式子看左边显然太大,为 13. 因此,火柴棒的移动应在左边进行,而且只能移动运算符号中的火柴棒(移动数字中的火柴棒不可能使左边变小). 另若将第一个运算符号中的 1 根火柴棒移到右边,也有一解. 经试验有下面三解:

$$|| + | - || = | \text{ 或 } | + || - || = |$$

或

$$| - | + || = ||$$

下面的算式是错误的,请移动 1 根火柴棒使算式正确.

$$2 + || = |$$

例 2 下面的算式是错误的,请移动 2 根火柴棒使算式正确.

$$|| + || + || + || = 224$$

解 左、右两边相差太大,因此,在移动中应考虑使左边由 2 位数升为 3 位数,经试验得到:

$$||| + ||| + | + | = 224$$

随堂练习 2 下面的算式是错误的,请移动 1 根火柴棒使算式正确.

$$4 + 7 - | = 8$$

例 3 如图 3-1 所示,9 根火柴棒搭成 3 个三角形,请移动其中 3 根搭成 5 个三角形.

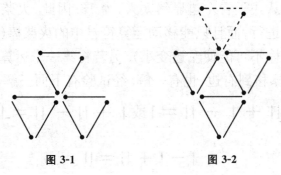

图 3-1   图 3-2

解 可以有多种移动方法,其中之一是将上面那个三角形的 3 根火柴棒移到下面,它由 4 个与原来一样大的小三角形及一个由这 4 个小三角形拼合而成的大三角形组成.

用类似的办法,可以将左下角的三角形移到图的右上方,或将右下角的三角形移到图的左上方,都可以得到如图 3-2 的图形.

随堂练习 3 如图 3-3 是用 12 根火柴棒搭成的一个田字形,请拿走 2 根火柴棒,使它变成两个正方形.

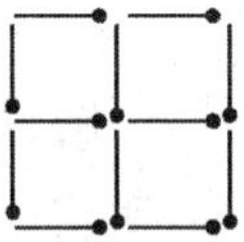

图 3-3

例 4 用 12 根火柴棒,可以搭成如图 3-4 所示的 1 个三角形和 3 个正方形.请移动其中的 3 根火柴棒,搭成 3 个大小相同的三角形和 2 个大小相同的正方形.

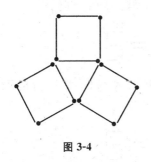

图 3-4

图 3-5

解 本题是由 3 个正方形、1 个三角形经移动 3 根火柴棒,将图形变成 2 个正方形和 3 个三角形,这意味着要拆去 1 个正方形的 3 条边(保留 2 个正方形及 1 个三角形),再用所拆出的 3 根火柴棒搭出 2 个相同的三角形,答案如图3-5.

图 3-6

随堂练习 4 如图 3-6,移动 3 根火柴棒,使这个田字形变成三个正方形.

例5 　下面的算式是错误的,请移动 2 根火柴棒使算式成立.

$$1 - 112 + 1 = 2$$

解法一 　等号右边是 2,而左边中间一个数是 112,因此,必须将 112 变小,我们可拿走 112 中的数字 1,添加到第一个 "－"号上,先变成 $1 + 12 + 1 = 2$,然后再将左边的第二个 "＋"号中拿走一根使它变成"－"号,并将这根火柴棒添到第二个 1 上使之成为 11,于是成为以下正确的等式:

$$1 + 12 - 11 = 2$$

解法二 　从 112 中拿走 1,使"－"号变"＋"号:

$$1 + 12 + 1 = 2$$

然后,还可以从第二个"＋"中拿走 1 根火柴棒放在右边的十位上,也得到一个正确的等式:

$$1 + 12 - 1 = 12$$

所以,此题有两解.

随堂练习5 　下面的算式是错误的,请移动 2 根火柴棒使算式成立.

$$110 - 3 - 2 = 15$$

✌ **例 6**　下面的算式是错误的,请移动 1 根火柴棒使算式成立.

$$111 + 11 + 1 = 4$$

解　由于左右相差太大,因此,左端的 111 必须变小.若拿走百位数上的 1,不足以使左端变得足够小 (= 4),因而采取"特殊"技巧,将 11 中拿出一根,夹在 111 的中间一根上,将中间的数字 1 改为运算符号"+"得:

$$1 + 1 + 1 + 1 = 4$$

随堂练习 6　下面的算式是错误的,请移动 1 根火柴棒使算式成立.

$$11 + 1 + 1 - 111 = 4$$

练 习 题

❶ 请移动 1 根火柴棒,使下面算式成立.

$$21 + 35 = 68$$

❷ 请移动 1 根火柴棒,使下面等式成立.

$$17 + 7 = 77 - 7$$

❸ 请用 9 根火柴棒搭成只有 4 个同样大小的正三角形的图形.

4 如图是用 18 根火柴棒搭成的有许多三角形组成的图形. 你能否移去其中 3 根火柴棒得到 7 个相同的三角形?

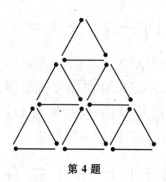

第 4 题

5 请移动 1 根火柴棒,使下面算式成立.

(1)
$$5I - 37 = 82$$

(2)
$$32 + 62 = 30$$

6 请移动 1 根火柴棒,使下面算式成立.

(1)
$$I + 7 = 74$$

(2)
$$I - I + I - I + I = I4$$

7 用 15 根火柴棒(不许交叉)最少可以拼成几个大小相同的正方形?最多可以拼成几个大小相同的正方形?

8 如图由 19 根火柴棒搭成,只移动 4 根,使图中显示 4 个数字:1992.

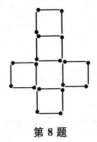

第 8 题

9 如图,圆圈里放的是火柴棒,请移动 1 根,使每边 3 个圆圈里放的火柴棒根数和都等于 9.

第 9 题

10 如图是用火柴棒摆成的两个图形,如果把图①的火柴棒移动 2 根,变成一个新的图形,要使这个新图形的面积正好是图②面积的 2 倍,你将怎样移动?

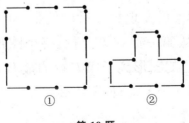

① ②

第 10 题

第 *4* 讲

接着画下去

按规律画图,可以培养小朋友们的观察能力和总结归纳能力.这个能力很重要,随着年龄的增长,小朋友们遇到的事情越来越复杂,就需要不断地增长这种能力.

 例1 如图 4-1,请你在"?"处接着画.

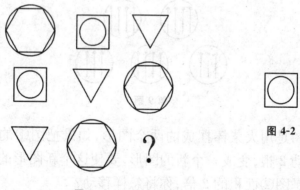

图 4-2

图 4-1

解 仔细观察后发现每一行的三个小图形都相同,不同的是排列顺序,从第一行到第二行,每个图形都往左移动一位,第一行最左边的图形到了第二行的最右边,所以"?"处应该画第二行的第一个图形,如图 4-2.

随堂练习1 如图 4-3,请你接着画.

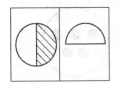 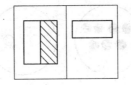 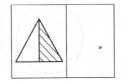

图 4-3

 例2 如图 4-4,接下去图④该怎么画?

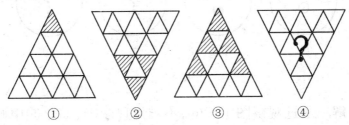

图 4-4

解 从图①～③看到,在大三角形中小三角形涂阴影的个数分别是 1、3、5 个,且涂阴影的小三角形都位于大三角形的两边,由此推知,图④应涂 7 个阴影小三角形,并且这7 个小三角形也应位于大三角形的两边,如图 4-5 所示.

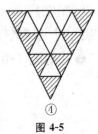

④

图 4-5

随堂练习2 如图 4-6,按规律画出图④.

① ② ③ ④ ⑤

图 4-6

 例3 如图 4-7,观察前几幅图的变化规律,画出图⑦和图⑧.

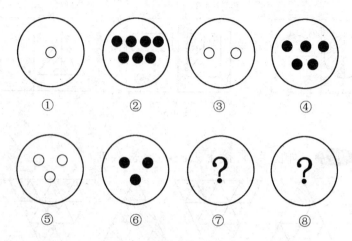

图 4-7

解 通过观察图①～⑥,不难发现图①、③、⑤中画的都是空心圆圈,而且后一个图比前一个图增加 1 个圆圈,所以,图⑦应画 4 个空心圆圈;图②、④、⑥画的都是"●",而且后一个图都比前一个图少 2 个"●",所以,图⑧应画 1 个"●";如图 4-8 所示.

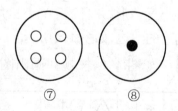

图 4-8

随堂练习 3 如图 4-9,"?"处应画什么?

图 4-9

例 4 如图 4-10,观察图①～③的变化规律,画出图④.

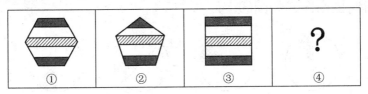

① ② ③ ④

图 4-10

解 通过观察,发现每个图形内部的花纹始终没有变,只是外部的多边形由六边形变为五边形、四边形.因此,图④应是三角形,如图 4-11 所示.

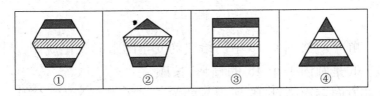

① ② ③ ④

图 4-11

随堂练习 4 如图 4-12,"?"处图形是怎样的?

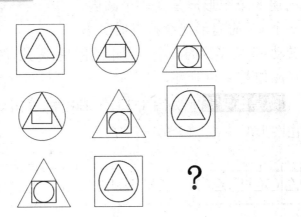

图 4-12

例5 如图 4-13,观察图①～⑤及⑦的图形变化,发现规律,画出图⑥和图⑧.

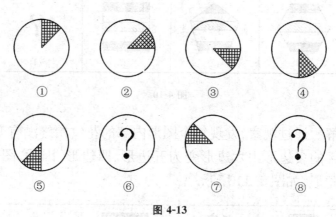

图 4-13

解 观察图 4-13 中已给出的 6 个图形的变化规律,从图①～⑤是圆内一个 45°的扇形,按顺时针方向每次转动 45°所得到的前 5 个图形,图⑦又是从图⑤连续转动 2 次所得到的图形,因此,我们可以知道上述 8 个图形应是在一个圆内,由一个 45°的扇形连续按顺时针方

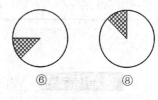

图 4-14

向转动 45°所得到的各个位置上的图形,因此,图⑥和图⑧的图形应如图 4-14 所示.

随堂练习5 如图 4-15,仔细观察,找出规律,在"?"处画出图形.

图 4-15

例6 如图 4-16,"?"处的图形是怎样的?

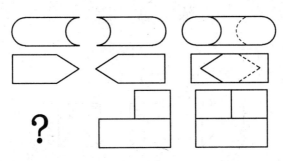

图 4-16

解 将所给出的图仔细观察后可以发现,将每行的第一、第二个图形平移再重叠后就变成第三个图形.因此,第三行"?"处的图形只要把第三行第三个图形中去掉第二个图形的部分.可以发现,"?"处图形与第二个图形的重叠部分是下半部.所以第一个图形,即"?"处的图形如图 4-17 所示.

图 4-17

随堂练习6 如图 4-18,在"?"处画上合适的图形.

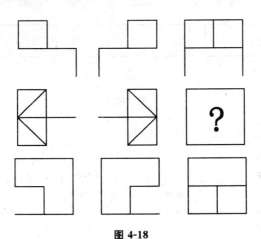

图 4-18

练 习 题

1 如图,请你在方框里接着画下去.

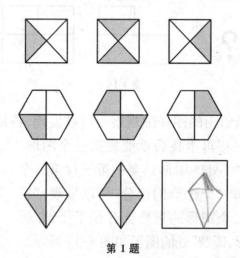

第 1 题

2 如图,仔细观察图①、②,想一想,图③的"?"处应画什么?

①   ②   ③

第 2 题

3 如图,接下去图④该怎么画?

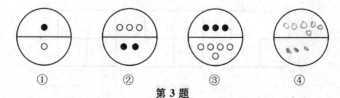

①   ②   ③   ④

第 3 题

4 如图,仔细观察图中一系列图形,并回答问题:

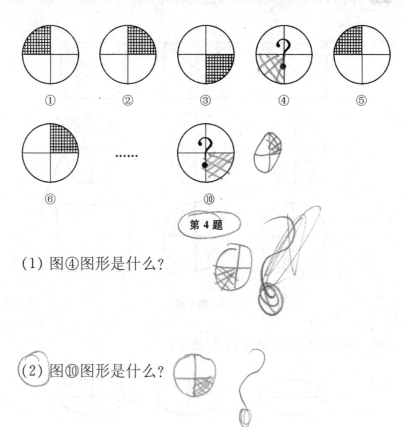

第 4 题

(1) 图④图形是什么?

(2) 图⑩图形是什么?

5 如图,接下去图④该怎么画?

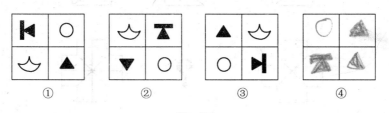

① ② ③ ④

第 5 题

6 如图，在方框里画上合适的图形.

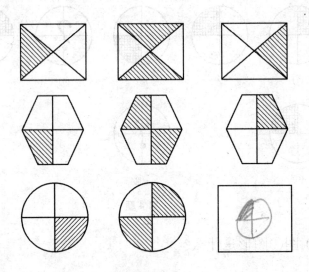

第 6 题

7 如图，"?"处应该画什么图形？

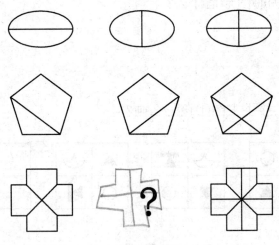

第 7 题

8 如图,两串珠子有白有黑,是按一定规律排成的,请你先找出珠子排列的规律,然后接着画下去.

(1)

(2)

第 8 题

9 如图,仔细观察图形的变化,图⑤该怎么画? 图⑩、图⑫又该怎么画?

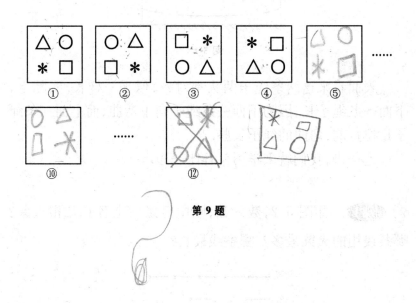

第 9 题

第 *5* 讲

比 比 长 短

如图 5-1,两条绳子,哪一条长?

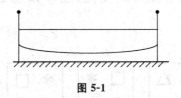

图 5-1

表面看来这两条绳子两头都对齐,似乎一样长.实际上,下面一条绳子长,因为下面一条绳子向下弯曲,而上面一条绳子是拉直的,弯曲的绳子长些.

这一讲,我们就来学习怎样比长短.

例1 如图 5-2,数一数,图中每条线上各有几根火柴?哪条线用的火柴最多? 哪条线最长?

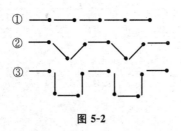

图 5-2

解 经过观察可以知道,每条线上所用火柴的长短都是相同的,所以哪条线上火柴数越多,哪条线就越长.

①号线上用了 5 根火柴;

②号线上用了 7 根火柴;

③号线上用了 9 根火柴.

因此,③号线上所用火柴最多,③号线最长.

随堂练习1　　如图 5-3,每条线上各有几枚回形针,哪条线最短?

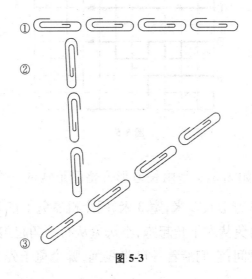

图 5-3

例2　　如图 5-4 中有三条路线,哪条路线最长?(图中的小方格都是正方形)

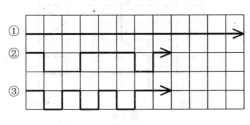

图 5-4

解 表面上看,好像路线①最长,因为它的箭头走得最远.这不是计算长度的好办法,由于路线沿着正方形的边行进,因此,应计算路线经过正方形边的数目,才能确定哪条路线长.经计算,路线①经过 12 段边长,路线②也经过 12 段边长,而路线③经过了 14 段边长.所以,路线③最长.

随堂练习2 如图 5-5,3 条线中,哪条最长,哪条最短?

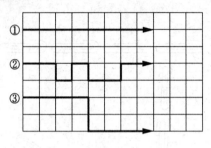

图 5-5

例3 如图 5-6 是由长方形方格图形成的一个玩具路线图,每个小长方形长 5 米,宽 3 米,两个机器兔子在上面沿着线路奔跑,小白兔从左下角起跑,小灰兔从右下角起跑,它们跑的速度相同.请问:它们沿着各自路线跑,哪个兔子先到达终点?

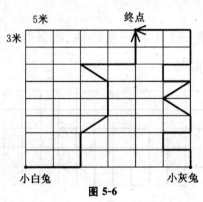

图 5-6

解 经观察与计算,小白兔共跑了小长方形的4条长边,6条宽边及2条小长方形的对角线;小灰兔共跑了6条长边,6条宽边及2条小长方形的对角线.

小白兔跑过的距离 $= 5 \times 4 + 3 \times 6 + 2$ 条对角线长 $= 20 + 18 + 2$ 条对角线长 $= 38 + 2$ 条对角线长(米).

小灰兔跑过的距离 $= 5 \times 6 + 3 \times 6 + 2$ 条对角线的长 $= 30 + 18 + 2$ 条对角线长 $= 48 + 2$ 条对角线长(米).

因为小白兔跑的距离短,所以它先到达终点.

随堂练习3 如图 5-7,如果大猴、小猴跑的速度相同,那么谁先吃到梨呢?

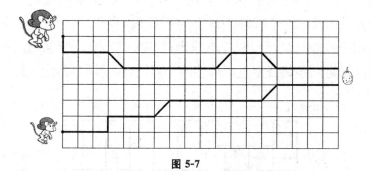

图 5-7

 例 4 从甲城到乙城有两条路线可走,如图 5-8 所示,请

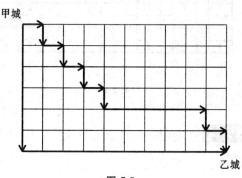

图 5-8

问:哪条路线长?哪条路线短?

解 这是一个由小正方形格子组成的长方形.现有两条从甲城到乙城的路线(如箭头所示),一种办法就是分别数一数两条路线所经过的正方形边的条数就可知道路线的长.经计算两条路线所经过的小正方形的边的条数是一样的,都是16条,有的小朋友会感到奇怪,从直观上感觉好像就是沿两条边走的路线长度要短一些,而沿长方形内部的不断拐弯的路线要长一些.这是一种错觉,我们用下面的"对应"的办法,能直观地说明两条路线是一样长的.

如图5-9,我们先分别观察两条路线横向的正方形的边长的线段,将它们一对一地用虚线相连,发现,两条路线走过的横线段一样多;同样两条路线上的竖线段,我们将它们也一对一地用虚线相连,发现,两条路线走过的竖线段也一样多.这样,就可以断定两条路线走过同样多的小线段,因此两条路线一样长.

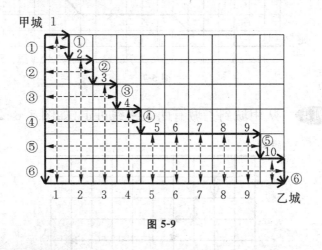

图 5-9

随堂练习4 如图5-10,从 *A* 地到 *B* 地,有 3 条路可走,哪条路最长?

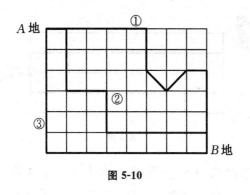

图 5-10

练　习　题

1 小明与小强从家出发去学校,他们走的路线如图所示,他们谁的家离学校近?

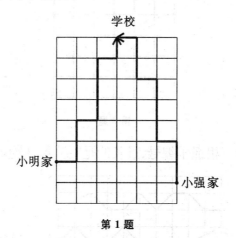

第 1 题

2 观察如图的长方格图,想一想哪只猫先捉到老鼠?（假设黑猫、白猫跑的速度相同,小长方格长 4 米、宽 2 米）

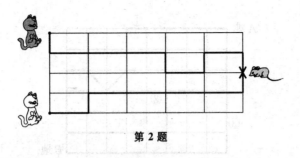

第 2 题

3　如图,小鹿从 A 点沿黑线走向 B 点,不能穿过黑点,也不能重复走,有几条路可走?哪条路比较近?

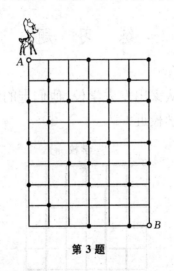

第 3 题

4　如图,给三根绳子编号,最长的是"①"号,最短的是"③"号.

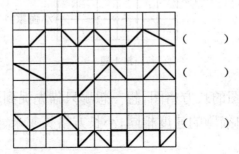

（　　）

（　　）

（　　）

第 4 题

5 如图,甲、乙、丙、丁四个小朋友,如果他们跑得速度相同, 那么谁先拿到皮球呢?

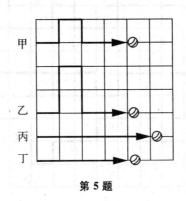

第 5 题

6 如图,把三根彩带接在三根同样长的黑带子后面,中间用 纸遮住并摆齐,看图找出最长的带子是几号?

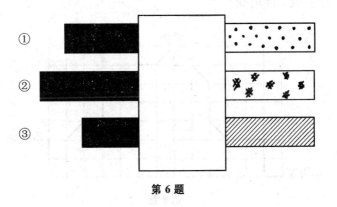

第 6 题

7 如图,小明、小华、小刚争红旗,如果他们三人走的速度相 同,猜一猜谁先拿到红旗?

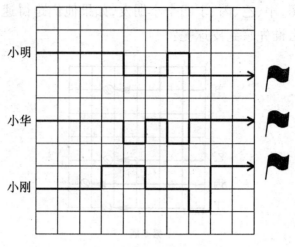

第 7 题

8 如图,如果小明和小红走的速度相同.他们同时从家出发去学校,谁先到?

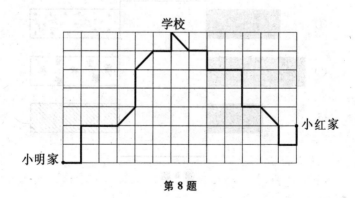

第 8 题

第 **6** 讲

图 形 的 剪 拼

图形的剪拼就是通过对图形的观察和分析,先把图形剪开分成几个部分,再重新拼成新的图形.

在进行剪拼的过程中,要善于观察和发现所求图形与基本图形之间的相互关系,要熟悉基本图形的一些重要特征和特点.可以通过有目的的尝试分割,来拼成所求的图形.

 例1 如图 6-1,将图形分成大小相等、形状相同的两块.

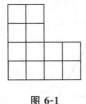
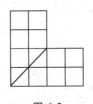

图 6-1   图 6-2

解 由于分成的两个图形要求大小相等,所以我们可以先数出所给图形共有多少小格,把它们平均分成两份,每块大小就相等了.图中共有 12 小格,每块应该有 6 小格.题目还要求两块的形状相同,这样就要把它们的公共部分剪开,分成形状相同的两块就可以了.

具体方法如图 6-2 所示.

随堂练习1 如图 6-3,将图形分成大小、形状都相同的四块,并且每块都带有一个小圆圈.

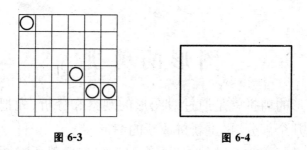

图 6-3   图 6-4

✌ **例2** 如图 6-4,将长方形剪成两个大小相等的三角形,然后把它们拼在一起,看看拼出了什么形状?

解 要把这个长方形剪成两个大小相等的三角形,只有按对角线剪开,拼的时候要将两条长度相等的线段重合在一起.

根据以上分析,这个图形有多种剪拼方法,具体拼法如图 6-5 所示.

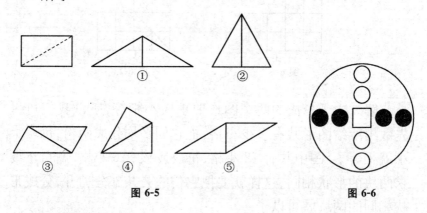

图 6-5   图 6-6

随堂练习2 如图 6-6,有一个圆,中间有一个正方形的孔,将它们分成大小、形状都相同的四块,并使每块都带有一个○和一个●.

例 3 如图 6-7,在长方形 $ABCD$ 上剪一刀,把这个长方形分成两部分,使这两个部分能够拼成一个平行四边形、三角形或梯形.

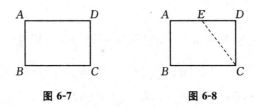

图 6-7   图 6-8

解 通过剪一刀把长方形 $ABCD$ 分成两个部分,然后拼成平行四边形、三角形或梯形,一定是从长方形中切下一个三角形,而这个三角形是由一个顶点出发,连结对边中点,如图 6-8 所示.

沿着 CE 将长方形截成一个直角三角形和一个直角梯形,如图 6-9,然后可以拼成平行四边形如图①;可以拼成三角形如图②;可以拼成梯形如图③.

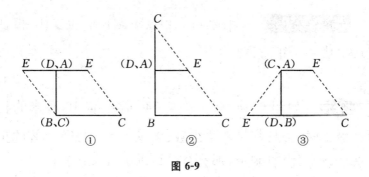

①   ②   ③

图 6-9

　　如图 6-10,将图形剪成两块,然后拼成一个三角形,怎么拼?

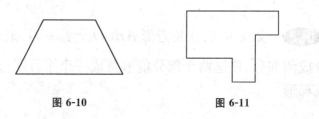

图 6-10　　　　　　　　　　　　图 6-11

例4　　如图 6-11,将图形分成四块,再拼成一个正方形.

　　解　把这个图形的上边作为拼成正方形的对角线,连结各顶点,然后相互结合,形成了一个正方形.

　　具体方法如图 6-12 所示.

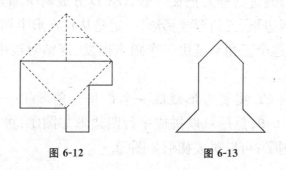

图 6-12　　　　　　图 6-13

随堂练习4　　如图 6-13,把这个图形剪成三块,再把这三块拼成一个正方形.

例5　　如图 6-14,把一块长 14 厘米、宽 10 厘米的长方形纸板,剪成边长都是整厘米数,面积大小可以不相等的正方形纸片,恰好没有剩余,那么至少可以剪成几块?

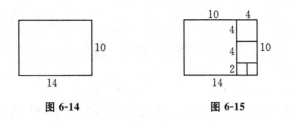

图 6-14　　　　　　　　图 6-15

解　要把长方形剪成正方形,块数要尽可能地少,说明有部分正方形要尽可能地大,这样剩下的部分就小,再分割的块数就少.我们可以如图 6-15 所示进行分割:

第一次剪边长是 10 厘米的正方形,剩下长 4 厘米、宽 10 厘米的长方形;

第二次剪边长是 4 厘米的正方形共 2 个,剩下长 4 厘米、宽 2 厘米的长方形;

第三次剪边长是 2 厘米的正方形共 2 个,正好分完,没有剩余.

所以,至少可以剪成面积大小不同的正方形

$$1＋2＋2＝5(个).$$

随堂练习 5　　如图 6-16,把一块长 18 厘米、宽 13 厘米的长方形纸板,剪成边长都是整厘米数、面积大小可以不相等的正方形纸片,恰好没有剩余,至少可以剪成多少块?

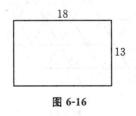

图 6-16

练 习 题

1 如图是一个正方形,请你剪两刀,然后拼成两个小正方形.

第 1 题

2 如图,在正方形内,画一个小正方形,使它是原来正方形大小的一半.

第 2 题

3 如图,把图形分成大小、形状相同的两块.

第 3 题

4 如图,把图形分成大小、形状都相同的三块,并且每块都带有一个小圆圈.

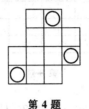

第 4 题

5 如图,把长方形剪成 4 块,然后拼成一个正方形.

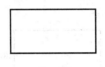

第 5 题

6 如图,将图形分成两块,使它们的大小、形状都相同.

第 6 题

7 如图,把图形分成大小、形状完全相同的 4 块.

第 7 题

8 如图,把图形剪成两块,然后拼成一个正方形.

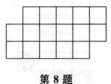

第8题

9 如图,把一块长 30 厘米、宽 20 厘米的长方形纸板,剪成边长都是整厘米数,面积大小相等的正方形纸片,恰好没有剩余,那么至少可以剪成几块?

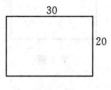

第9题

10 如图,将正方形剪成 10 个小正方形,并且这 10 个小正方形的面积大小不一定相等.应该怎么分?

第10题

第 **7** 讲

数 学 趣 题（一）

数学中常有一些妙趣横生又带有智力测验性质的问题，这些问题需要我们的智慧来解答．不少同学都非常愿意来挑战这样的习题，通过练习也可以锻炼我们思维的灵活性，使我们变得越来越聪明．在这一讲里，我们一起来挑战数学趣题，你准备好了吗？

例.1 在每个小朋友走得快慢相同的情况下，如果 2 个小朋友一起从学校到儿童乐园需要 20 分钟，那么 6 个小朋友一起从学校到儿童乐园需要多少时间？

解 题目中告诉我们 2 个小朋友一起从学校到儿童乐园需要 20 分钟，说明每一个人从学校到儿童乐园都要走 20 分钟．因为他们是同时出发的，所以无论人数的多少，走这段路所用的时间和一个人走这段路所用的时间是相等的．

答：6 个小朋友一起从学校到儿童乐园需要 20 分钟．

随堂练习1 4 只猫 4 天能捉 4 只老鼠，照这样计算，20 只猫 20 天能捉多少只老鼠？

例2 用一只平底锅煎饼，每次能同时放两块饼．如果煎 1 块饼需要 2 分钟（正、反面各 1 分钟），问：煎 17 块饼最少需要多少分钟?

解 我们可以先通过较少数目的饼来寻求规律:

由于一个锅子能同时放两块饼,所以我们可以知道,同时煎两块饼都只需要 2 分钟.因此,计算煎 17 块饼所需要时间,关键是计算最后 3 块饼(前 14 块饼,每 2 块需要 2 分钟,一共需要 7 个 2 分钟)的时间.

煎最后 3 块饼最少需要多少时间呢? 最优的方法是:首先煎①号饼的正面和②号饼的正面,需要 1 分钟;再煎①号饼的反面和③号饼的正面,也需要 1 分钟;最后煎②号饼的反面和③号饼的反面,需要 1 分钟.这样最后 3 块饼一共用了 3 分钟.

答:煎 17 块饼最少需要 $7 \times 2 + 3 = 17$(分钟).

随堂练习 2 用一只平底锅煎饼,每次能同时放两块饼.如果煎 1 块饼需要 4 分钟(正、反面各 2 分钟),问:煎 2011 块饼最少需要多少分钟?

✌ **例 3** 爸爸、妈妈带着儿子、女儿和一条狗外出旅行,途中要过一条河.渡口有一只空船,最多能载 50 千克.而爸爸、妈妈各重 50 千克,儿子和女儿各重 25 千克,狗重 10 千克.请问:他们怎样才能全部渡过河去?

解 解答这道题首先要考虑船的载重量是 50 千克,所以爸爸、妈妈只能单独过河;儿子、女儿可以同时过河;儿子(或女儿)可以带着狗过河.此外还要考虑船一定要有人划回来才行.

答:第一次:儿子和女儿过河,由儿子(或女儿)把船划回来;

第二次:爸爸(或妈妈)过河,由女儿(或儿子)把船划回来;

第三次:儿子和女儿过河,由儿子(或女儿)把船划回来;

第四次:妈妈(或爸爸)过河,由女儿(或儿子)把船划回来;

第五次:儿子和狗过河,由儿子把船划回来;

第六次:儿子和女儿过河,这样全家都过河了.

随堂练习3 张叔叔要把一只狗、一只鸡和一筐菜带过河,由于船小,他每次只能带一样东西过河,而且没有人时,狗会咬鸡,鸡会吃菜.张叔叔该怎样过河呢?

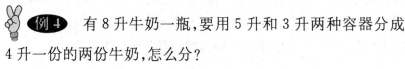 **例4** 有8升牛奶一瓶,要用5升和3升两种容器分成4升一份的两份牛奶,怎么分?

解 我们可以通过以下的方法和程序来分:

操作顺序	8升瓶	5升瓶	3升瓶
开始	8	0	0
1	3	5	0
2	3	2	3
3	6	2	0
4	6	0	2
5	1	5	2
6	1	4	3
7	4	4	0

随堂练习4 有一些人认为"8"是一个吉祥的数字,他们得到的东西数量里都要含有数字"8".现在有200块糖要分

给一些人,请你帮助设计一个吉祥的分糖方案.

例5 甲、乙、丙、丁四个人各拿一个水桶到自来水龙头前等候打水,甲打水要 4 分钟,乙打水要 1 分钟,丙打水要 3 分钟,丁打水要 2 分钟.怎样安排四个人的打水顺序,才能使他们花的时间最少?最少时间是多少?

解 所用的时间就是指他们四人各人打水时间和等候时间的总和.因为各自打水的时间是不变的,所以在安排打水顺序时应该使等候的时间尽可能地少.也就是说应该安排打水时间短的人先打.顺序是:乙、丁、丙、甲.过程可以用下表来表示:

	乙打水时间	丁打水时间	丙打水时间	甲打水时间
乙等的时间	1			
丁等的时间	1	2		
丙等的时间	1	2	3	
甲等的时间	1	2	3	4

四人打水时间是:$1+2+3+4 = 10$(分钟).

四人等候时间是:$1 \times 3+2 \times 2+3 = 10$(分钟).

一共花的时间是:$10+10 = 20$(分钟).

答:最少时间是 20 分钟.

随堂练习5 卫生室有四名同学等候医生治病,甲打针要 3 分钟,乙换纱布要 4 分钟,丙涂红药水要 2 分钟,丁点眼药水要 1 分钟.该怎样安排他们的看病顺序才能使所花时间最少?最少是多少分钟?

练 习 题

1 一条毛毛虫从幼虫长到成虫,每天长大一倍.如果 30 天能长到 20 厘米,那么长到 5 厘米需要多少天?

2 如果有 3 只猫,同时吃 3 条鱼,需要 3 分钟.按照这样的速度,100 只猫同时吃掉 100 条鱼需要多少时间?

3 小巧喝一杯牛奶,第一次喝了半杯,用水加满;第二次喝了半杯又用水加满,然后全部喝完.请问:小巧喝了多少杯牛奶,多少杯水?

4 用一只平底锅煎饼,每次能同时放两块饼.如果煎第一面需要 2 分钟,煎第二面需要 1 分钟,问:煎 3 块饼最少需要多少分钟?

5 一个大和尚带着两个小和尚去河对岸的寺院.河上只有一只空船,船最多能载重 50 千克.大和尚正好重 50 千克,两个小和尚各重 25 千克.问:他们怎样才能全部过河?

6 有一个猎人带着 3 条狗和 2 只兔子来到河边,要把它们带过河.河边只有一条小船,猎人每次最多只能带 2 只动物过河,否则就有沉船的危险.如果没有人看管,狗会咬死兔子.猎人应该怎么做才能把所有动物安全地带过河去?

7 小红用平底锅烙饼,锅中每次最多能放 4 块饼.如果烙 1 块饼的正面需要 2 分钟,反面需要 1 分钟,小红烙 6 块饼最少要用几分钟?

8 小名和小丁玩猜数游戏,小名在纸条上写了一个四位数让小丁猜. 小丁问:"是 6031 吗?"小名说:"猜对了一个数字,且位置正确."小丁问:"是 5672 吗?"小名说:"猜对两个数字,但位置都不正确."小丁问:"是 4796 吗?"小名说:"四个数字都说对了,但位置都不对."你能根据以上信息,猜出小名写的四位数是多少吗?

9 明明骑在牛背上赶牛过河,共有甲、乙、丙、丁四头牛. 甲牛过河需要 1 分钟,乙牛过河需要 2 分钟,丙牛过河需要 5 分钟,丁牛过河需要 6 分钟. 每次只能赶两头牛过河,要把四头牛都赶到对岸去,最少需要几分钟?

数学趣题(二)

数学趣题,常常会有意想不到的答案,需要开动脑筋,想出巧妙的方法来解答.

例1 从1~9这九个数字中,每次取两个不同的数字组成一个两位数,要求十位与个位的数字之和必须比10大,这样的两位数一共有几个?

解 取出的两个数有9和2,9和3,9和4,9和5,9和6,9和7,9和8,8和3,8和4,8和5,8和6,8和7,7和4,7和5,7和6,6和5,共有7+5+3+1=16(组),每组的两个数可组成两个不同的两位数,因此这样的两位数一共有32个.

随堂练习1 一般说来,几个数的和要比它们的积小,如2+3+4比2×3×4小.那么0,1,2,3,4,5,6,7,8,9这几个数相加的和大还是相乘的积大?

例2 学校进行乒乓球单打比赛,参赛选手一共有25人.如果采用淘汰赛(即每两人比赛一场,淘汰负者),直到产生冠军,一共要进行多少场比赛?

解 每一场比赛淘汰1人,25人参赛,要淘汰24人,所以一共要进行24场比赛.

随堂练习2 A、B、C、D 四人进行围棋比赛,每人都要与其他三人各赛一盘.比赛是在两张棋盘上同时进行,每天每人只赛一盘.第一天 A 与 C 比赛,第二天 C 与 D 比赛,第三天 B 与谁比赛?

例3 瓜瓜和兰兰都想买同一本书,瓜瓜缺1角,兰兰缺5元3角.如果两个人的钱合起来买这本书,钱还是不够.这本书的价钱是多少?他俩各有多少钱?

解 这本书的价格就是5元3角.瓜瓜有5元2角,兰兰没有钱,因为如果兰兰有1角钱,他俩的钱合起来就够买这本书了.

随堂练习3 晨晨和天天一起去买练习簿,晨晨买的是描红簿,天天买的是数学簿.已知天天买的数学簿本数是晨晨买的描红簿本数的2倍,而一本描红簿的价格是一本数学簿价格的2倍,他们俩谁用的钱多?

例4 有两只空瓶,一只可盛7千克水,另一只可盛5千克水.现在要利用这两只空瓶取得6千克水,应该怎样取?

解 将5千克的空瓶装满水后倒入7千克的空瓶,连续两次后,7千克瓶装满,5千克的瓶内剩下3千克水;将7千克瓶内的水全部倒去,再装入3千克水.然后将5千克瓶装满水倒入7千克瓶内,最后5千克瓶内剩下1千克水;再将7千克瓶内水倒去,装入1千克水,然后再倒入5千克水,这时7千克瓶内正好有6千克水.

随堂练习4 一只大瓶装着10升油,现有可盛7升油和 3 升油的空瓶各一只,不用秤称,怎样把 10 升油平均分开.

✌ **例5** 9 个形状相同的零件,正品重量相同,可其中混杂了一个次品,次品的重量比正品轻,你能不能不用砝码,用一架天平称 2 次把次品找出来?

解 把 9 个零件分成 3 个一组,把其中两组放到天平上,称一次能找出含次品的那一组.再从这一组中取出 2 个放到天平上,再称一次就可找到那一个次品.所以称 2 次就一定可以找到次品.

随堂练习5 卖葱的人去买鱼,他问卖鱼的人多少钱 1 千克,卖鱼的说:"10 元钱 1 千克."卖葱的说:"我要都买了,不过要切开称,从头部切断,鱼头每千克 2 元,鱼身每千克 8 元,你卖不卖?"卖鱼的一想:"8 元加 2 元就是 10 元,可以."他就同意全部卖了.问卖鱼的人是赚了钱还是赔了钱?

练 习 题

❶ 大海中有一个小岛,小岛上住着的 100 名妇女中有一半人只戴一只耳环,余下的妇女中一半人戴两只耳环,另一半人不戴耳环.这 100 名妇女一共戴有多少只耳环?

2 有一家人,除了爸爸妈妈外,还有三个男孩,每个男孩又都有一个妹妹.这一家一共有几人?

3 一家商店卖某样东西,价格是:十是 1 元,一百是 2 元,一千、一万、十万都是 2 元.那么一百万是几元?

4 在美国把 6 月 1 日写成 6/1,而在英国把 6 月 1 日写成 1/6.一年中有多少天两国的日期写法相同?

5 两个数的和比其中一个数大 23,比另一个数大 19,这两个数分别是几?

6 有一路公共汽车,包括起点和终点共有 10 个车站.如果一辆车除终点站外,每一站上车的乘客中,恰好各有一位乘客到这一站以后的每一站下车.要保证车上的乘客每人都有座位,这辆车上至少应有多少个座位?

7 有21个装铅笔的盒子,其中7盒是满的,7盒是半满的,7盒是空的.现在要把这些铅笔连同盒子平均奖给三个学生,使每人分得的铅笔和盒子数都一样多,怎样分?把分法填入表格.

盒子 学生	满的	半满的	空的	合计
第一个学生				
第二个学生				
第三个学生				

8 在正方形花坛的四周每边都种5棵树,包括4个角种的4棵树,一共种了多少棵树?

第 *9* 讲

两步运算应用题

在日常生活中,我们会遇到很多问题,并不是一下子就能算出得数,而是需要两步甚至三步才能解答出来.做这类题目就一定要认真读题,分析已知条件和问题的关系,找到正确的数量关系.

例1 小明的钱是不到 5 元的整角数,如果买 6 支铅笔,钱不够,还少 5 角,小明原来最多有多少钱?

解 问题求的是"小明原来最多有多少钱",说明小明原来的钱不到 5 元,但加上 5 角后就超过 5 元,且能被 6 整除.如果每支铅笔 8 角,6 支 48 角不到 5 元,所以不可能;如果每支 9 角,6 支 54 角,再减去少 5 角,原来最多有

$$6 \times 9 - 5 = 49(角).$$

答:小明原来最多有 49 角.

随堂练习1 一盒糖果,总数不超过 20 颗,把它们平均分给 6 个小朋友,还余 2 颗,这盒糖最多几颗? 最少几颗?

例2 一根绳子原来长 20 米,第一天剪去 3 米,第二天剪去的和第一天同样多,剩下的米数比原来短几米?

解 这题要求剩下的米数比原来短几米,通常我们用以

下的数量关系来解:

原来的米数 − 剩下的米数 = 剩下的米数比原来短的米数

解法一　　20 − [20 − (3 + 3)] = 6(米).

有更简便的方法吗? 聪明的小朋友是否考虑到"剩下的米数比原来短的米数",就是剪去的米数,只要用一步计算就能解答.

解法二　　　　3 + 3 = 6(米).

答:剩下的米数比原来短 6 米.

随堂练习2　　水果店有 52 箱水果,卖出 16 箱,又运进 23 箱,现在水果的箱数和原来比是多了还是少了? 多或少几箱?

例3　　小名妈妈第一天做了 16 朵花,第二天上午做了 7 朵花,下午做的花和上午同样多. 把两天做的花分装在 3 个瓶子里,每个瓶子里装几朵花?

解　　从问题出发,要求每个瓶子装几朵花,首先要知道两天一共做多少朵花. 题目中已经直接告诉我们第一天和第二天上午的朵数,而第二天下午是"和上午同样多",这个条件间接告诉我们下午也是 7 朵. 由此我们可以求出两天的总朵数.

$$(16 + 7 + 7) \div 3 = 10(朵).$$

答:每个瓶子里装 10 朵花.

随堂练习3　　小亚有 9 个卡通玩具,小胖和小丁丁共有 12 个卡通玩具,他们把这些卡通玩具平分着玩,每人可以分到几个?

例 4 一桶食油连桶共重 100 千克,用去一半油后,连桶还重 60 千克. 原来桶里有油多少千克? 油桶重多少千克?

解 根据题目中"连桶共重 100 千克"和"用去一半后,连桶还重 60 千克"这两个条件可知, $100 - 60 = 40$(千克) 就是一半油的重量. 由此,可求出全部油的重量和桶的重量.

$$100 - 60 = 40(千克),$$

$$油的重量:40 \times 2 = 80(千克),$$

$$桶的重量:100 - 80 = 20(千克).$$

答:桶里原来有油 80 千克,油桶重 20 千克.

随堂练习 4 一盒糖连盒共重 14 千克,吃掉一半糖后,连盒还重 8 千克. 问:原来盒里有糖多少千克? 盒子重多少千克?

例 5 已知一道减法题中,被减数、减数、差这三个数的和是 92,减数比差多 10,求减数是多少?

解 题目中告诉我们,被减数、减数、差的和是 92,根据"被减数＝差＋减数"可以知道 $92 \div 2 = 46$ 就是减数与差的和. 又根据"减数比差多 10"可以求出减数.

$$92 \div 2 = 46, (46 + 10) \div 2 = 28.$$

答:减数是 28.

随堂练习 5 甲、乙两人的年龄之和等于丙的年龄,甲、乙、丙三人的年龄之和等于 46 岁,甲比乙小 5 岁,你能算出甲是几岁吗?

练　习　题

1 停车场里原来轿车比卡车多 12 辆,后来轿车开走 6 辆,卡车开进 8 辆,这时停车场里哪种车多? 多多少?

2 小李和小红到商店买同一种练习本,结果发现钱没带够,小李缺 5 角,小红少 2 分,但两人合起来买一本还不够,这种本子一本多少钱?

3 食堂有西红柿 48 个,还有一些土豆,中午做菜用了土豆 24 个,剩下的土豆还比西红柿多 18 个. 原来有土豆多少个?

4 食堂有 48 袋大米,平均每天吃 8 袋,一星期(7 天)够不够吃?

5 把两条长 38 厘米的纸条粘在一起,成为一条长 72 厘米的纸条,中间粘贴部分的纸条长几厘米?

6 一筐苹果连筐共重 46 千克,卖出一半后,连筐共重 24 千克,苹果重多少千克?筐重多少千克?

7 饲养场里养了 80 只鸡和鸭,平均分装在 20 个笼子里,鸡装了 12 笼,鸭有多少只?

8 有大、小两桶油共重 50 千克,两个桶都倒出同样多的油后,分别还剩 10 千克和 6 千克,大、小两个桶原来各装油几千克?

9 小刚做一道加法题时,把一个加数的个位上的 6 看作 0,把另一个加数十位上的 5 看作 3,结果所得到的和是 63.正确的和是多少?

10 小明、小李和小红三个小朋友做小红花,小明和小李共做 27 朵,小明和小红共做 32 朵,小李和小红共做 25 朵,三个小朋友各做几朵?

第 10 讲

画图法解应用题

在解应用题时,特别是一些技巧性比较大的题,如果不认真思考,是很容易做错的. 这时你不妨先画一画图,用图来表示题目中的条件,能方便我们理解题意,正确思考解答.

例1 朗诵小组的同学排成一排表演诗朗诵,从左边数起,玲玲是第 8 个,从右边数起,玲玲是第 7 个,有多少同学参加表演?

解 我们还是借助图 10-1 来帮助分析、理解题意.

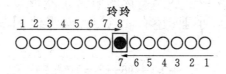

图 10-1

从图中能够很清楚地看到,从左往右数时,把玲玲数了一次,从右往左数时,玲玲又被数了一次. 把两次数出的人数相加时,玲玲被多加了一次. 因此,把两次数出的人数相加后减去 1 就是实际的总人数,即

$$8 + 7 - 1 = 14(个).$$

答:共有 14 个同学参加表演.

排排队,来报数,正着报数我报 6,倒着报数我报 9.请你算一算,一共有多少小朋友在报数?

例2 16 名同学排成一队,小小排在小亚的前面,从前往后数,小亚排在第 9 个,从后往前数,小小排在第 10 个.他们之间隔着几个人?

解 我们用图 10-2 表示:

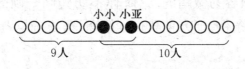

图 10-2

通过画图,我们可以发现:从前往后数,小亚排在第 9 个,从后往前数,小小排在第 10 个.把两部分人数相加,共 19 人,超过了实际的总人数,那是因为小小、小亚和中间隔着的同学被重复计算了.19－16＝3,说明有 3 个人被重复计算了,3 个人中去掉小小、小亚,还有 1 个人,说明他们 2 人中间隔了 1 人.

$$9+10-16-2=1(人).$$

答:他们两人之间隔了 1 个人.

随堂练习2 16 个小朋友排成一队去看电影,胖胖在小明的后面,从前往后数,小明排在第 5 个,从后往前数,胖胖排在第 8 个.小明和胖胖之间隔了几个人?

例3 小明有 10 支铅笔,小红有 4 支铅笔,要使两人的铅笔同样多,小明要给小红几支铅笔?

解 我们用图 10-3 表示：

小明：/////////

小红：////

图 10-3

从图中我们可以清楚地看到,小明比小红多 6 支铅笔,把多出来的 6 支铅笔平均分成 2 份,即 6÷2＝3(支).

答:小明给小红 3 支铅笔后,两人的铅笔同样多.

随堂练习 3 王老师有 12 本练习本,李老师有 18 本练习本,要使两人的练习本同样多,李老师要给王老师多少本练习本?

例 4 一排 20 个座位,其中有些座位已经有人,小明无论坐在哪一个座位上,旁边都有一个人与他相邻,那么原来至少有多少人已经就座?

解 通过分析,我们可以知道,要使小明无论坐在哪一个座位上,旁边都有一个人与他相邻,也就是说两个人之间只允许有两个空位,且要考虑到如第一个座位为空位的话,第二个座位必须有人.依据以上条件,用"★"表示已经有人就座,用"☆"表示空位画图 10-4.

☆★☆☆★☆☆★☆☆★☆☆★☆☆★☆☆★

图 10-4

通过画图,很快就可以找到答案了.

答:原来至少有 7 个人已经就座.

一排 10 个座位,其中有些座位已经有人,小刚无论坐在哪一个座位上,旁边都有一个人与他相邻,那么原来至少有几个人已经就座?

例5 如图 10-5,一条小街上顺次安装有 10 盏路灯,为了节约用电又不影响路面照明,要关闭除首末两盏灯以外的 8 盏灯中的 4 盏灯,但被关的灯不能相邻.一共有几种不同的关法?

图 10-5

解 我们把所有的情况通过画图 10-6,全部列举出来:

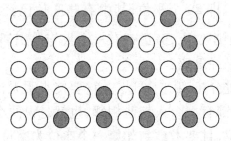

图 10-6

答:共有 5 种不同的关法.

随堂练习5 把 4 个一样的球放到两个相同的盒子里,有多少种不同的方法?

练 习 题

1 二(1)班 22 个小朋友排成一队去操场做操,从最前面数到丁丁是第 9 个,君君排在丁丁的后面.从队伍的最后往前数,君君排在第几个?

2 第一小队的同学排成一排,排在东东前面的有 6 个小朋友,排在东东后面的有 4 个小朋友.第一小队一共有几个小朋友?

3 小朋友们排成一队参观博物馆,从排头数起牛牛是第 10 个,从排尾数起妞妞是第 18 个,排在牛牛前面的就是妞妞.一共有几个小朋友去参观博物馆?

4 在 20 米的校园小道一边种杨柳树,每隔 4 米种一棵,两端都种.想一想,一共要种几棵树?

5 小明给小红 4 支铅笔后,两人的支数相同,问:小明比小红多几支铅笔?

6 姐姐有 4 支铅笔,妹妹给姐姐 3 支铅笔后,两人的支数相同,妹妹原来有几支铅笔?

7 一根 16 米长的木条,把它锯成 4 段,要锯几次?

8 小丁从一楼走到四楼用了 9 分钟,照这样的速度,从一楼走到七楼要用几分钟?

9 妈妈到水果店买苹果,她带的钱若买 3 千克多 2 元,若买 4 千克少 3 元,问妈妈带了多少元钱去买苹果?

10 体育小组有 20 个学生,排成两排队伍做早操,每两个学生之间相隔 1 米,每排队伍有多长?

第 *11* 讲

倒推法解应用题

在解有些应用题时,顺向推理比较困难,或者会出现繁杂的运算,但从这最后结果出发,从后往前一步一步地推算,就方便得多,这种方法就是倒推法.在处理一些问题时经常要用到倒推法.

例1 明明有 4 张卡通画报,明明的画报数是亮亮的一半,亮亮的画报数是宏宏的一半,宏宏有几张卡通画报?

解 解答这道应用题时,要充分运用两次"一半"的关系进行倒推.通过"明明的画报数是亮亮的一半"可以推算出亮亮的画报数是 8 张;又从"亮亮的画报数是宏宏的一半"可以推算出宏宏的画报数是 16 张.

$$4 \times 2 = 8(张), 8 \times 2 = 16(张).$$

答:宏宏有 16 张卡通画报.

随堂练习1 张老师有 3 条连衣裙,张老师的裙子数是王老师的一半.张老师和王老师一共有几条连衣裙?

例2 有一批水果,第一天卖出一半,第二天卖出剩下的一半,这时还剩 4 箱水果,这批水果一共有几箱?

解 从最后的结果是还剩 4 箱水果开始倒推思考,由于第二天卖出的一半,说明还剩下一半即为 4 箱,则第二天时有 8 箱水果.同样道理,第一天卖出一半,剩下的一半就是 8 箱,所以这批水果一共有 16 箱,即

$$4 \times 2 \times 2 = 16(箱).$$

答:这批水果共有 16 箱.

随堂练习2 玩具店里有一些卡通玩具,第一天卖出一半,第二天卖出剩下的一半,这时玩具店里还有 5 个卡通玩具.请你算一算,玩具店里原来共有几个卡通玩具?

例3 有一列数,第一个是 7,后面每一个数都比前面一个数多 4.请你算一算,这列数中,第几个数是 23?

解 倒推着想,因为后一个数比前一个数多 4,所以 23 前面一个数是 19,19 前面一个数是 15,15 前面一个数是 11,11 前面一个数就是 7.

这一列数是:7,11,15,19,23,…,所以第 5 个数是 23.

随堂练习3 有一列数,第一个是 6,后面每一个数都比前面一个数大 3.请你算一算,这列数中,第几个数是 21?

例4 小红问妈妈多大年龄,妈妈说:"把我的年龄加 10,然后乘 5,减 25,再除以 2,恰巧是 100 岁."小红妈妈的年龄是多少?

解 题目最后一步是除以 2 得 100 岁,说明除以 2 前就是 $100 \times 2 = 200$.减了 25 是 200,那么不减 25 就是 $200 + 25 = 225$.同理不用乘 5 就是 $225 \div 5 = 45$,不加 10 就是

$45-10=35$. 这样,通过逐步倒推的方法就得到了小红妈妈的年龄是 35 岁,即

$$(100 \times 2 + 25) \div 5 - 10 = 35(岁).$$

答:小红妈妈的年龄是 35 岁.

随堂练习4　小明爷爷今年的年龄加上 15 后,缩小 4 倍,再减去 15 之后,扩大 10 倍,恰好是 100 岁.小明爷爷今年多少岁?

例5　某数加上 6,乘 6,减去 6,除以 6,最后结果是 6.问:这个数是几?

解　我们可以根据题目的意思列出原来计算的算式:

$$[(某数 + 6) \times 6 - 6] \div 6 = 6.$$

根据上面的算式,通过倒推的方法,可以得到下面的倒推算式:

$$(6 \times 6 + 6) \div 6 - 6 = 某数.$$

通过计算这个算式,可以得出答案是 1.

答:这个数是 1.

随堂练习5　一个数加上 5,乘 5,减去 5,除以 5,最后结果是 5.问:这个数是几?

练 习 题

1 二年级舞蹈兴趣组有 6 个同学,是体育组人数的一半,体

育兴趣组的人数是合唱组人数的一半.合唱组有多少个同学?

2 猴子吃桃,第一天吃了桃子的一半,第二天又吃了余下桃子的一半,这时还有 8 个桃子.原来有多少个桃子?

3 一筐鸡蛋,第一天吃了全部的一半,第二天吃了余下的一半,第三天吃了 5 只,刚好吃完.这筐鸡蛋有多少只?

4 姐姐有 9 张邮票,是哥哥邮票数的一半.姐姐比哥哥少多少张邮票?

5 爸爸买了一些巧克力,分给哥哥和弟弟吃,哥哥吃了 4 颗,弟弟吃了 6 颗,正好都吃了各自的一半.爸爸买回来多少颗巧克力?

6 妈妈买来一些巧克力,送给邻居小妹妹 2 块后拿回了家. 小亚先吃了其中的一半,又给弟弟吃了剩下的一半,这时 还有 1 块巧克力.妈妈一共买了多少块巧克力?

7 有一个数除以 2,再加上 7,然后乘 4,最后结果等于 60. 这个数是多少?

8 一个数扩大 3 倍,再增加 70,然后减少 50,得 80.这个数 是几?

9 有一个数先减去 5,再除以 2,然后加上 3,最后乘 3,结果 等于 27.这个数是多少?

10 有一个数,先加上 3,再乘 3,然后减去 3,最后除以 3,结 果还是等于 3.这个数是多少?

第 12 讲

列表法解应用题

有些应用题单纯地用某种方法解答往往比较复杂,步骤也比较多.当我们遇到比较复杂的问题,除了用前面讲到的画图法、倒推法外,还可以采用列表法进行解答.

例1 晚上小胖在灯下做作业,突然停电了,小胖去拉了 2 下开关.妈妈回来了,在小胖房间里又拉了 3 下开关.请你想一想,如果这时来电了,灯是亮着的还是不亮着的?

解 我们可以通过列表来解决这个问题:

拉的次数	1	2	3	4	5	…
灯	不亮	亮	不亮	亮	不亮	…

从上面的表中可以发现,拉的次数是单数时,灯是不亮的;拉的次数是双数时,灯是亮的.因为一共拉了 $2+3=5$ (次),所以灯是不亮的.

答:由于灯原来是亮的,所以拉了 5 次后,来电时灯应该是不亮的.

随堂练习1 晚上奶奶家突然停电了,小胖去拉了 2 下开关.调皮的表弟在小胖房间里又拉了 4 下开关.请你想一想,如果这时来电了,灯是亮着的还是不亮着的?

用数字 1，2，3 可以组成多少个没有重复数字的三位数？其中最大的那个是多少？最小的那个又是多少？

解 我们可以通过列表排列的方法找到答案：

百位	十位	个位
1	2	3
1	3	2
2	1	3
2	3	1
3	1	2
3	2	1

答：这 3 个数字可以组成 6 个没有重复数字的三位数，其中最大的三位数是 321，最小的三位数是 123.

随堂练习2 用 2，5，6 可以组成几个没有重复数字的三位数，其中最大数和最小数的和是多少？

例3 丽丽有一件夹克衫和一件薄绒衫，还有三条不同颜色的裤子：黑裤子、红裤子、白裤子．她想穿一套衣服去奶奶家，可以有几种不同的穿法？

解 根据题目，我们可以把丽丽穿衣搭配的方法列成表格来分析：

穿法	上衣	裤子
1		黑裤子
2	夹克衫	红裤子
3		白裤子

穿法	上衣	裤子
4		黑裤子
5	薄绒衫	红裤子
6		白裤子

答:丽丽可以有 6 种不同的穿法.

随堂练习3 欢欢有 3 件不同颜色的上衣(白色、黑色、灰色),4 条不同颜色的裤子(蓝色、褐色、黄色、绿色).他要穿一套衣服去上学,可以怎么穿呢?

例4 小明今年 18 岁,妈妈的年龄比小明的 2 倍大 1 岁,爷爷的年龄比妈妈的 2 倍大 1 岁,三个人一共多少岁?

解 根据题意列表:

小明	18
妈妈	$18 \times 2 + 1 = 37$
爷爷	$37 \times 2 + 1 = 75$

三个人的年龄和为:$18 + 37 + 75 = 130$(岁).
答:三个人一共 130 岁.

随堂练习4 书架有上、中、下三层,上层有书 28 本,比中层多 6 本,比下层少 6 本,这个书架上一共有几本书?

例5 明明的爸爸和妈妈两人的年龄和是 99 岁,爸爸比妈妈大 9 岁,而且爸爸的年龄数的两个数字交换位置后,恰好是妈妈的年龄数,请你算一算明明的爸爸妈妈各是多少岁?

解 根据题意列表:

爸爸的年龄	81	72	63	54
妈妈的年龄	18	27	36	45
年龄差	63	45	27	9

答:爸爸的年龄是 54 岁,妈妈的年龄是 45 岁.

随堂练习5 梨树、桃树、苹果树共有 32 棵,梨树比桃树多 3 棵,而且是苹果树的 2 倍,问:三种树各有几棵?

练 习 题

1 用 8,4,1 可以组成多少个没有重复数字的三位数?其中最大的那个数和最小的那个数相差多少?

2 用 0,4,7 可以组成多少个没有重复数字的三位数?其中最大的数是几?最小的数是几?它们的和是几?

3 用数字 2, 3, 7 可以组成多少个没有重复数字的两位数？其中最大的那个是多少？最小的那个又是多少？

4 红红、芳芳、青青三人去照相,摄影师要她们排成一行,共有几种不同的排法呢？

5 五只苹果分别装在三个不同的盘子里,每个盘子至少要有一个,共有几种不同的方法？

6 用数字 0, 2, 6, 9 可以组成很多个没有重复数字的三位数,你知道其中最大的那个是多少？最小的那个又是多少？

7 甲、乙、丙三人的年龄和是 38 岁,丙的年龄是甲的一半,比乙小 2 岁,甲、乙、丙三人各几岁?

8 去年甲的年龄是乙的 2 倍,甲比乙大 2 岁,今年甲、乙两人各几岁?

9 某商店规定可乐饮料 1 元一瓶,五个空瓶又可换一瓶可乐.用 80 元钱买可乐,你知道最多可以喝多少瓶可乐?

10 二(2)班 22 位小朋友共植树 56 棵,女生每人植 2 棵,男生每人植 3 棵,男生和女生各有几人?

第 *13* 讲

简 单 推 理（一）

这一讲我们学习简单推理,学会推理可以使小朋友的头脑变得越来越灵活,想问题越来越合理.

例1 明明、冬冬、蓝蓝、静静、思思和毛毛六人参加一个会议,见面时每两人都要握一次手,明明已握了五次手,冬冬已握了四次手,蓝蓝已握了三次手,静静已握了两次手,思思握了一次,毛毛已握了几次手?

解 明明已握了五次手,一定是和冬冬、蓝蓝、静静、思思、毛毛握手.思思已握了一次手,一定是和明明.冬冬已握了四次手,一定没有和思思握手,那么是和明明、蓝蓝、静静、毛毛握手.静静已握了两次手,一定是和明明、冬冬握手.蓝蓝已握了三次手,那么一定是和明明、冬冬、毛毛握手.

可以用表格表示:

	明明	冬冬	蓝蓝	静静	思思	毛毛
明明	—	√	√	√	√	√
冬冬	√	—	√	√	×	√
蓝蓝	√	√	—	×	×	√
静静	√	√	×	—	×	×

	明明	冬冬	蓝蓝	静静	思思	毛毛
思思	✓	✗	✗	✗	—	✗
毛毛	✓	✓	✓	✗	✗	—

所以,毛毛已握了三次手,分别是和明明、冬冬和蓝蓝.

随堂练习 1　甲、乙、丙、丁比赛乒乓球,每两个人要赛一场.所有比赛结束后结果是:甲胜了丁,并且甲、乙、丙三人胜的场数相同.那么丁胜了几场?

例 2　如图 13-1,4 个小正方体排成一排,每个正方体的 6 个面上分别写着 1～6 这 6 个数字,并且任意两个相对的面上所写的数字之和都等于 7,紧贴着的两个面上的数字之和都等于 8.问:打"?"的一组对面上所写的两个数字各是多少?

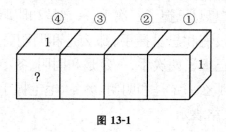

图 13-1

解　为了说起来方便,我们将这 4 个小正方体从右到左分别编上号①②③④.按照题目的要求,小正方体①与 1 相对的面上的数字应为 $7-1=6$.小正方体②右侧面上的数字应为 $8-6=2$,左侧面上的数字应为 $7-2=5$.小正方体③右侧面上的数字应为 $8-5=3$,左侧面上的数字应为 $7-3=4$.小正方体④右侧面上的数字应为 $8-4=4$,左侧面上的数

字应为 $7-4=3$. 又知,小正方体④上面的数字为 1,所以它的对面(即底面)的数字应为 $7-1=6$. 这样,小正方体④上,上、下、左、右已有 4 个数字 1,6,3,4. 所以,打"?"的一组相对面上两个数字必是 2 或 5.

随堂练习 2 有一个立方体,每个面上分别写着 1,2,3,4,5,6. 从不同角度观察如图 13-2 所示,这个立方体上相对两个面上的数字各是几?

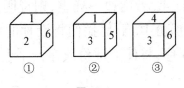

图 13-2

例 3 要给四个商品编号,已给三个商品编了号:354,157,164. 已知这四个商品的编号中,每一个数位上的数字恰好在同一数位上出现两次,问:第四个商品的编号是多少?

解 已经编号的三个商品的号码分别为 354,157,164,其中出现 2 次的数字为 1,4,5,只出现一次的三个数字分别为 3,6,7. 依商品编号规则,每个数位上的数字恰好在同一数位上出现两次,现在 3 出现在百位,6 出现在十位,7 出现在个位,所以,第四个商品的编号应为 367.

随堂练习 3 同学和老师共 16 人去郊游,学生比老师人数多,男老师比男同学人数多,男同学比女同学多,女同学比女老师多. 问:女同学有多少人?

例 4 检验员要对 27 件产品进行检验,合格品重量相同,可其中混杂了一件次品,次品的重量比合格品轻.你能不能用天平3次将次品称出来?

解 可以用天平3次将次品称出来.

首先,将27件产品分成3份,每份9件,先任取两份,放在天平左右两边,称第1次,有两种情况:

(1) 两边一样重;(2) 两边不一样重.

下面分两种情形来讨论:

(1) 两边一样重.若两边一样重,则说明次品不在这两份中而在没有称的那份中.于是我们将没称的那份9件产品再分成3份,每份3件;将任意两份放在天平上,称第2次,又有两种可能情形:

① 两边一样重,这说明,次品不在这两份中,而在没有称的那份中.于是,我们在这没有称的一份中的3个球中任取两个放在天平上,称第3次,若两边一样重,说明剩下的那件产品是次品;若两边不一样重,轻的那边的产品就是次品,这样,共称3次,找到次品.

② 两边不一样重,这说明次品在轻的那边的3件产品中,于是将在这3件中任取两件称第3次,若一样重,说明,剩下的产品是次品,若不一样重,则轻的那件是次品.也是称3次找到次品.

(2) 两边不一样重.与第(1)种情况讨论相仿,可先将轻的那份中的9件产品再分成3份,每份3件,任取两件称第2次,再进一步讨论.到称第3次时,定能找到次品(请小朋友自己完成).

随堂练习4 有八个球,编号是①~⑧,其中有六个球一样重,另外两个球都轻1克.为了找出这两个轻球,用天平称了三次,结果如下:第一次 ① + ② 比 ③ + ④ 重;第二次 ⑤ + ⑥ 比 ⑦ + ⑧ 轻;第三次 ① + ③ + ⑤ 与 ② + ④ + ⑧ 一样重.两个轻球的编号分别是几?

例 5 已知 10 个李子的重量等于 1 个苹果加 2 个橘子的重量,4 个李子和 1 个橘子的重量等于 1 个苹果的重量.问:1 个苹果的重量等于几个李子的重量?

解 我们列出式子来分析:

$$10 \text{ 个李子} = 1 \text{ 个苹果} + 2 \text{ 个橘子} \qquad ①$$

$$4 \text{ 个李子} + 1 \text{ 个橘子} = 1 \text{ 个苹果} \qquad ②$$

由①②可知:

$$10 \text{ 个李子} = (4 \text{ 个李子} + 1 \text{ 个橘子}) + 2 \text{ 个橘子}$$
$$= 4 \text{ 个李子} + 3 \text{ 个橘子} \qquad ③$$

由③可知: $6 \text{ 个李子} = 3 \text{ 个橘子} \qquad ④$

由④可知: $1 \text{ 个橘子} = 2 \text{ 个李子} \qquad ⑤$

由②⑤可知: $1 \text{ 个苹果} = 4 \text{ 个李子} + 1 \text{ 个橘子}$
$$= 4 \text{ 个李子} + 2 \text{ 个李子} = 6 \text{ 个李子}.$$

所以,一个苹果的重量等于 6 个李子的重量.

随堂练习 5 四名学生猜测自己的数学竞赛成绩,A 说:"如果我得优,那么 B 也得优." B 说:"如果我得优,那么 C 也得优." C 说:"如果我得优,那么 D 也得优."结果大家都没有说错,但只有两人得优,谁得了优?

练 习 题

1 一只鸡重 2 千克,
一只鸭重多少千克?

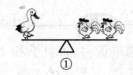

一只小猪重多少千克?

一只小熊猫重多少千克?

第 1 题

2 李大爷家养了 6 只兔子,有 2 只黑兔,4 只白兔,每只黑兔
生了 5 只小兔.李大爷家一共有多少只兔子?

3 1支钢笔可以换3支圆珠笔,1支圆珠笔可以换4支铅笔,1支钢笔可以换几支铅笔?

4 如图,在图③的"?"处填上合适的数并说明理由.

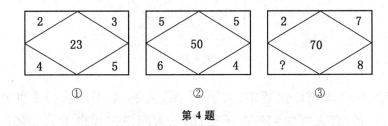

第4题

5 如图,问:将图A叠在图B上会形成图①～图④中哪一个图形?

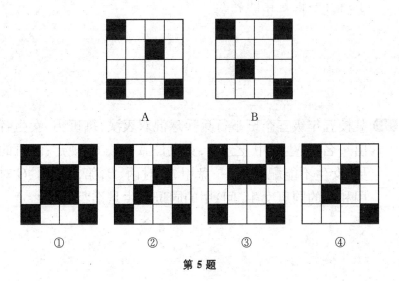

第5题

6 如图,5个正方体,呈"十字形",其侧面紧贴在一起,正方体的 6 个面上分别写着 1~6 这 6 个数字,任意两个相对的面上的两个数字和为 7,任意两个紧贴着的面上的数字和为 8. 请问:图中打"?"的面上的数字是几?

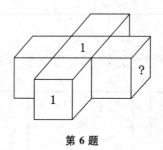

第 6 题

7 在一次书法比赛中,大刚、小刚、大毛、小毛四人得了前四名. 有人问他们各得了第几名,大刚说:"我得了第二名." 小刚说:"我是第一名."大毛说:"我是第四名."小毛说:"我不是第三名."已知他们中有 1 人把自己的名次说错了. 请问:谁是第四名?

8 某校五年级三个班举行乒乓球混双表演,每班男、女生各出一名,男生是甲、乙、丙,女生是 A、B、C. 规定:同班的男、女生不能配对,第一盘甲、A 对丙、B,第二盘丙、C 对甲和乙的同班女生. 问:甲的同班女生是谁?

9 如图,有三个口袋,第一个口袋装两只黑球,第二个口袋装两只白球,第三个口袋装一只黑球和一只白球,可是三个口袋外面的标签都贴错了,标签上写的与口袋里球的颜色不一样.你能不能从一个口袋里摸出一只球,就能说出这三个口袋里各装的是什么颜色的球?

第 9 题

第 *14* 讲

简单推理(二)

 例1 如图①、②,请问:1只小狗和几只小鸭一样重?

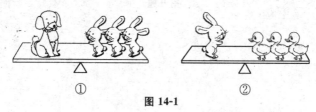

图 14-1

解 因为 1 只 🐕 = 🐰 + 🐰 + 🐰

= (🦆 + 🦆 + 🦆)

+ (🦆 + 🦆 + 🦆)

+ (🦆 + 🦆 + 🦆) = 9 只 🦆

即 1 只小狗和 9 只小鸭一样重.

随堂练习1 如图 14-2,请问:1只小熊猫和几只小兔一样重?

图 14-2

如图 14-3,买一件衣服的钱可以买几双鞋子?

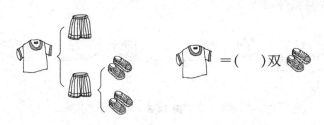

图 14-3

解

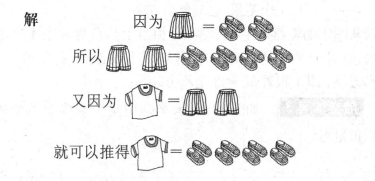

即买一件衣服的钱可以买 4 双鞋子.

随堂练习2 如图 14-4,买一条连衣裙的钱可以买多少条毛巾?

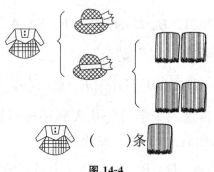

图 14-4

例3 如图 14-5，天平③右盘中应放几个小方块，才能使天平保持平衡？

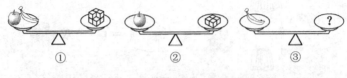

图 14-5

解 因为 1根香蕉＋1个苹果＝7个小方块 ①

1个苹果＝4个小方块 ②

所以从图①的左盘拿走1个苹果，相当于从右盘拿走4个小方块，这时天平还是平衡的，左盘剩下1根香蕉，右盘剩下3个小方块，即1根香蕉＝3个小方块.

随堂练习3 如图 14-6，天平③中1个梨等于几个橘子的重量？

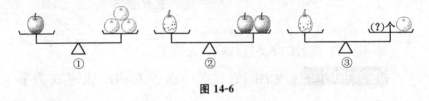

图 14-6

例4 已知 $A>B$，$D<C$，$C<F$，$E>A$，$B>F$. 请在以下两个字母之间填入"＜"或"＞".

$A \square D \quad D \square B \quad F \square E \quad C \square A \quad E \square C$

解 可以将这六个字母先从大到小排列起来：$E>A>B>F>C>D$，然后比较大小. 结果是：

$A>D \quad D<B \quad F<E \quad C<A \quad E>C$

随堂练习 4 四个小孩站的位置是这样的:乙站在甲的右边,丙站在甲的左边,丁站在丙的左边.请将甲、乙、丙、丁分别填在方格里.

例 5 如图 14-7,6 个完全一样的小正方块,每个小正方块的 6 个面上各有一些黑点,它们分别为 1,2,3,4,5,6.将它们排成一排,正面的点数加起来等于 21.那么这 6 个小正方块的背面的 6 个点数的和是多少?

图 14-7

解 我们注意到 6 个小正方块正面的 6 个点数正好是 1,2,3,4,5,6,它们各不相同.由于这 6 个小正方块完全一样,所以背面的 6 个点数也各不相同,而且背面的 6 个点数只能在 1,2,3,4,5,6 这 6 个数中间取,所以它们只能是 1,2,3,4,5,6 这 6 个数.$1+2+3+4+5+6=21$.即背面的 6 个点数字的和也是 21.

随堂练习 5 如图 14-8,有一个正方体,每个面上分别写上数字 1,2,3,4,5,6,从不同的角度观察的结果如图①、②、③.这个正方体相对两个面上的数字分别是多少?

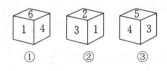

图 14-8

✌ **例6**　有红、黄、蓝三个箱子，一个苹果放入其中某个箱子里，红箱盖上写着："苹果在这个箱子里."黄箱盖上写着："苹果不在这箱子里."蓝箱盖上写着："苹果不在红箱子里."三句话中只有一句是真的.苹果在哪个箱子里？

　　解　做真假话这类题目，可以假设在哪一个箱子里，然后来判断三句话的真假，直到找到答案.

　　如果苹果在红箱中，红箱上的话是真的，黄箱上的话也是真的，蓝箱上的话是假的，一共有两句真话，不符合题意.

　　如果苹果在蓝箱中，红箱上的话是假的，黄箱上的话是真的，蓝箱上的话也是真的，一共有两句真话，不符合题意.

　　如果苹果在黄箱中，红箱上的话是假的，黄箱上的话也是假的，蓝箱上的话是真的，一共有一句真话，符合题意.所以苹果在黄箱中.

　　随堂练习6　甲、乙、丙、丁四位学生在广场上踢足球，打碎了窗玻璃.有人问他们时，甲说"玻璃可能是丙也可能是丁打碎的"；乙说"是丁打碎的"；丙说"我没有打坏玻璃"；丁说"我才不干这种事"；深深了解学生的老师说"他们中有三位决不会说谎话".那么到底是谁打碎了玻璃？

✌ **例7**　如图14-9，有一座四层楼，每层楼有3个窗户，每个窗户有4块玻璃，分别是白色和蓝色，每个窗户代表一个数字，从左到右表示一个三位数.这四个楼层所表示的三位数分别是791，275，362，612.那么，第二层楼表示的是哪个三位数？

　　解　仔细观察每层的窗户和组成四个三位数的12个数字，"2"出现了3次，两次在个位，一次在百位，说明第四层(最

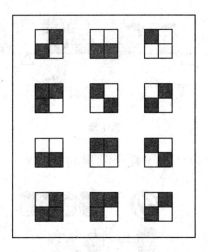

图 14-9

上层)的第一扇窗代表"2";而"6"、"7"都出现两次,根据它们所在的位置以及与"2"的关系,可以知道第三层的第一扇窗代表"6",第二层的第一扇窗代表"7".因此可推断出,第二层楼表示的是 791.

随堂练习7   如图 14-10,每个正方体的六个面上分别写着 1～6 这六个数字,并且任意两个相对的面上的两个数字之和是 7,相连的两个面上的两个数字之和是 8.那么图中"?"这个面上所写的数字是几?

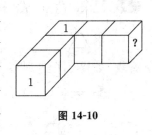

图 14-10

练 习 题

1   如图,1 只小猪等于几只小公鸡的重量?

第 1 题

2 如图,2个西瓜等于几个苹果的重量?

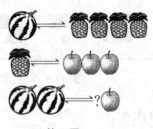

第 2 题

3 已知 $\square + \bigcirc + \bigcirc = 17$, $\bigcirc = 5$,求 $\square = ?$

4 已知 $\star + \star + \bigcirc + \bigcirc + \triangle = 25$, $\star + \bigcirc = 10$,

求 $\triangle = ?$

5 如图,仔细观察三幅图,可以推算出苹果 = ( ) 克,

梨 = ( ) 克,香蕉 = ( ) 克.

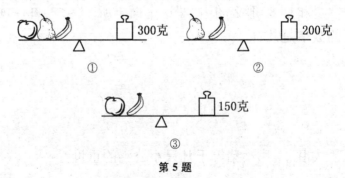

第 5 题

6 如图,仔细看图,算出一只鸭重多少千克? 一只小公鸡
重多少千克?

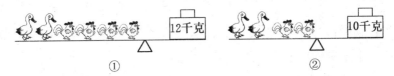

① ②

第 6 题

7 如图,图中表示的是四种体育用品之间的价格关系:

那么 ⚽ = (?)个 🏸

第 7 题

8 如图是一个立方体的四种不同的放置方法.

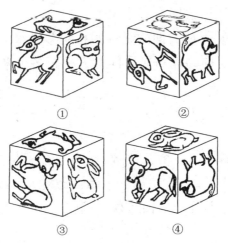

① ②

③ ④

第 8 题

仔细观察,你能判断出每个动物对面是哪个动物吗?

9 如图,"六一"儿童节,一年级 5 个小朋友表演了一个节目.表演时:

小晶站在豆豆的右边;

小林站在豆豆和乐乐的中间;

乐乐的左边是贝贝.

请你分别给这 5 个小朋友写上姓名.

①(　　) ②(　　) ③(　　) ④(　　) ⑤(　　)

10 A、B、C、D、E 五个人如下排列:A 在 C 前面 5 米,B 在 C 后面 5 米,A 在 E 前面 1 米,E 在 D 前面 7 米.那么

(1) C 与 E 之间有多少米?

(2) 紧跟在 C 后面的是谁?相距多少米?

(3) 最前面的人与最后面的人相距多少米?

11 某商品编号是一个三位数,现有五个三位数:584、765、123、394、927,其中每一个数与这个商品编号恰好在同一个数位上有一个相同数字.这个商品编号是几?

有趣的余数

在除法中,当被除数除以除数(除数不等于0)出现了余数(余数要比除数小),就称为有余数的除法.

在有余数的除法中,我们知道:

(1) 被除数＝除数×商＋余数;

(2) 除数＝(被除数－余数)÷商.

在解题时,我们常常要注意到:余数一定比除数小;在除法算式中,余数个数的多少、余数的大小是随着被除数和除数的不同而不同的.

例1 倪老师有48本笔记本,每位同学分得5本,还余3本,倪老师分给了几位同学?

解 倪老师有48本笔记本,发给同学后余3本,即倪老师共发了48－3＝45(本)笔记本.45本笔记本,每人发5本,可求出倪老师发给了45÷5＝9(位)同学.

$$(48-3)÷5＝45÷5＝9(位).$$

答:倪老师分给了9位同学.

随堂练习1 把79支铅笔分给一些小朋友,每人5支,还余4支,分给了多少个小朋友?

例2 有 40 根跳绳,至少拿走多少根,才能使 6 个班每班分得的跳绳一样多?

解 40 根跳绳至少拿走多少根,才能使 6 个班每班分得的跳绳一样多,只要求 40 除以 6 的余数是多少即可.

$$40 \div 6 = 6 \cdots\cdots 4.$$

答:最少拿走 4 根,才能使 6 个班每班分得的跳绳一样多.

随堂练习2 学校发给二年级 6 个班一箱连环画,图书馆拿走 4 本后,剩下的连环画每班可分到 7 本,这箱连环画共有多少本?

例3 下面的算式是有余数的除法,问:被除数最大是几? 最小是几?

大:41 小:36

$$\boxed{} \div 7 = 5 \cdots\cdots \boxed{}$$

解 从算式中可知,除数是 7,商是 5,根据余数比除数小,余数只能是 1,2,…,6,余数最小取 1,最大取 6.再根据"被除数=除数×商+余数",所以,被除数最大是

$$7 \times 5 + 6 = 41,$$

被除数最小是

$$7 \times 5 + 1 = 36.$$

随堂练习3 下面的算式是有余数的除法,问:被除数最大是几? 最小是几?

大:62 小:57

$$\boxed{} \div 7 = 8 \cdots\cdots \boxed{}$$

例4 下面的算式是有余数的除法,要使除数最小,被除数是几?

$$\square \div \boxed{} = 18\cdots\cdots 28$$

解 因为除数比余数大,而余数是 28,所以除数最小是 29,于是,被除数是

$$29 \times 18 + 28 = 550.$$

随堂练习4 下面的算式是有余数的除法,要使除数最小,被除数是几?

$$\square \div \square = 8\cdots\cdots 18$$

例5 写出所有除以 5 所得的商和余数相同的数.

解 除数是 5,余数要比除数小,因此余数只能为 1, 2, 3, 4. 再根据"被除数=除数×商+余数"来求出被除数.

$$5 \times 1 + 1 = 6, 5 \times 2 + 2 = 12,$$

$$5 \times 3 + 3 = 18, 5 \times 4 + 4 = 24.$$

所以符合要求的数为 6, 12, 18, 24.

随堂练习5 写出所有除以 8 所得的商和余数相同的数.

例6 三个字母"*A、B、C*"和六个文字"数学奥林匹克"分别依次循环出现,一个字母和一个文字对应一组,见下表:

组别	1	2	3	4	5	6	7	8	9	10	...
字母	A	B	C	A	B	C	A	B	C	A	...
文字	数	学	奥	林	匹	克	数	学	奥	林	...

(1) 第 51 组、第 89 组分别是什么?

(2) 用 $(A,林)$ 表示 1000 年,那么 2010 年对应哪一组?

解 如果按上面组合的方法一个个地排列出来,显然很费时.考虑到每组都是由一个字母和一个文字组成的,而且字母是每 3 个为一组,文字是每 6 个为一组,因此可以用除法运算的余数来求解.

(1) 由 $51 \div 3 = 17$,$51 \div 6 = 8 \cdots 3$,所以第 51 组字母为 C,文字为奥;由 $89 \div 3 = 29 \cdots 2$,$89 \div 6 = 14 \cdots 5$,所以第 89 组字母为 B,文字为匹.

(2) 用 $(A,林)$ 表示 1000 年,以这年为始,则有

$$(2010 - 999) \div 3 = 337, (2010 - 999) \div 6 = 168 \cdots 3,$$

所以 2010 年对应的是 $(C,克)$.

随堂练习 6 在下表中,上排的数字按 1~9 的顺序重复出现,中排的数字按 1~6 的顺序重复出现,下排的数字按 1~4 的顺序重复出现.现在将每列的上、中、下三个数字组成一个数组,如第 1 组为 $(1,1,1)$,第 8 组为 $(8,2,4)$,那么,第 2010 组是什么呢?

1	2	3	4	5	6	7	8	9	1	2	3	4	...
1	2	3	4	5	6	1	2	3	4	5	6	1	...
1	2	3	4	1	2	3	4	1	2	3	4	1	...

练 习 题

1 填空：

(1) $\square \div 7 = 6 \cdots\cdots 3$，$\square = ($ 45 $)$；

(2) $51 \div \triangle = 7 \cdots\cdots 2$，$\triangle = ($ 7 $)$；

(3) $18 \div \stackrel{\wedge}{\backsim} = \stackrel{\wedge}{\backsim} \cdots\cdots 2$，$\stackrel{\wedge}{\backsim} = ($ 8 $)$.

2 李老师把 43 张爱心卡片发给第一小队，每人分到 5 张，还余 3 张，第一小队有几人？ 8人

3 有 35 只桃，至少拿走几只，才能使 6 个小朋友分到同样多的桃？每个小朋友分到多少只桃？ 5

5

4 下面的有余数的除法算式中，被除数最大是几？最小是几？ 大：(99) 小：(91)

$$\square \div 10 = 9 \cdots\cdots \square$$

5 下面的有余数的除法算式中，除数最小是几？这时被除数是几？

除数最小是：(6)

被除数是(29)

$$\square 29 \div \square 6 = 4 \cdots\cdots 5$$

6 下面的有余数的除法算式中,余数最大是几? 这时被除数是几?

$$\square \div 8 = 3 \cdots\cdots \square$$

余数最大是 (7)
被除数是 (31)

7 写出所有除以 4 所得的商和余数相同的数.

8 明明到少年宫看演出,他坐在第 8 排.如果用他的座位号除以排号,商和余数正好都是 2,明明坐在 8 排几座? 16

9 如图,有 11 个小黑点 1 个大黑点,如果从某个小黑点按顺时针方向数到 200 时,正好是大黑点,请指出是从哪个小黑点开始的?

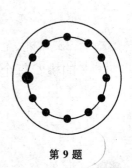

第 9 题

10 小明按 1~3 报数,小红按 1~4 报数.两人以同样的速度同时开始报数,当两人都报了 100 个数时,有多少次两人报的数相同?

第 *16* 讲

锻炼思维的 24 点

小朋友,大家都会玩 24 点吧:除去 J、Q、K 和大小怪,任抽四张牌,看谁先用四则运算符号把它们连成算式,使结果等于 24.算 24 点要求做到快、全、灵.

我们算 24 点,不是想出一个算式就宣布好了,而是规定一个时间,要求在规定时间里,写出尽量多的算式.而凡是用加法和乘法交换律而增加的解式,只能看作重复的解式.

通过计算机统计,24 点游戏一共有 715 个题目,其中 566 个能解,一共有解式 1737 个.把所有的解式分类,最后一步是什么方法,就把它称为什么解式.24 点的所有解式有五类:乘法型、加法型、减法型、除法型、分式型.这里我们一起来学习前 4 种,分式型的等以后再学习.

经过统计,所有能解的题目,每 100 个题,有 75 个乘法型解式,46 个加法型解式,35 个减法型解式,28 个除法型解式,6 个分式型解式.

例1 乘法型解式——固定一个因数法(一三分配):

用"1, 2, 4, 5"算 24 点.

解 24 的因数有:1, 2, 3, 4, 6, 8, 12, 24.乘法型解式的一种是"一三分配",就是"固定一个因数法",4 个数中有一

个是 24 的因数,把它固定,用另外三个数凑成另一个对应的
因数.如 $4 \times (2 + 5 - 1) = 24$,这就是一个"一三分配"的乘法
型解式.

 随堂练习 1 用"2,4,4,4"算 24 点,固定因数 2 时,
解式是什么? 固定因数 4 时,解式是什么?

 例2 乘法型解式——两数凑成因数法(二二分配):

用"1,2,4,5"算 24 点.

解 乘法型解式的另一种是"二二分配",就是"两数凑成
因数法",把 4 个数中的两个凑成 24 的因数,另外两个凑成另
一个对应的因数,但是凑的时候不能用乘法凑,否则会和"一
三分配"重复.如 $(5 - 1) \times (4 + 2) = 24$,这就是一个"二二分
配"的乘法型解式,而 $(3 \times 2) \times (5 - 1) = 24$ 不能算是"二二
分配"的乘法型解式.

随堂练习 2 用"3,3,5,9"算 24 点,用"两数凑成因
数法",$3 + 3$ 凑成 6 时,解式是什么?$3 + 5$ 凑成 8 时,解式是
什么?

例3 加减型解式——统加法和半差法:

用"2,6,10,10"算 24 点.

解 "统加法"就是四个数的和正好是 24."半差法"就是
当四个数的和大于 24 时,这四个数中的一个数正好是这四个
数之和与 24 之间的差的一半,就可以用其他三数之和减去这
个数,就可以求得 24.如 $6 + 10 + 10 - 2 = 24$.

随堂练习3　用"3，8，9，10"算 24 点，用"半差法"时，解式是什么？

 例 4　加减型解式——任取两数相乘法：

用"2，5，6，8"算 24 点.

解　"任取两数相乘法"就是先任意选两个数做乘法，再用加减法与另外两个数进行运算，使结果是 24. 用这种方法找解，每道题目要试 6 次. 如"2，5，6，8"要试

2×5、2×6、2×8、5×6、5×8、6×8，

解式是 $2 \times 5 + 6 + 8 = 24$，$5 \times 6 - 8 + 2 = 24$.

随堂练习4　用"3，4，7，7"算 24 点，用"任取两数相乘法"时，解式是什么？

 例 5　加减型解式——固定一数法：

用"3，3，6，9"算 24 点.

解　"固定一数法"就是固定一个数，把另外三个数排成乘法型算式，再通过加减法算得 24. 要注意的是另外三个数只能排成乘法型算式，否则解式会重复.

"3，3，6，9"的"固定一数法"解式是

$3 \times (9 - 3) + 6 = 24$，$9 \times (6 - 3) - 3 = 24$.

随堂练习5　用"2，5，6，10"算 24 点，用"固定一数法"时，解式是什么？

例6 除法型解式——固定一个除数法:

用"4, 6, 9, 10"算 24 点.

解 "固定一个除数法"就是先固定一个数做除数,把另外三个数凑成除数的 24 倍就可以了.要注意的是另外三个数不能排成乘法型算式,否则解式会重复;另外除法型解式不会是"二二分配"的.如"4, 6, 9, 10"的"固定一个除数法"解式是 $(9 \times 10 + 6) \div 4 = 24$.

随堂练习6 用"2, 2, 5, 10"算 24 点,用"固定一个除数法"时,解式是什么?

练 习 题

1 用"1, 1, 3, 8"算 24 点,一共有 6 个解式.

2 用"2, 6, 8, 8"算 24 点,一共有 3 个解式.

3 用"3, 6, 7, 8"算 24 点,一共有 4 个解式.

4 用"4，4，4，6"算 24 点，一共有 4 个解式.

5 用"5，5，8，10"算 24 点，一共有 2 个解式.

6 用"5，6，7，8"算 24 点，一共有 4 个解式.

7 用"6，6，6，10"算 24 点，只有 1 个解式.

8 用"7，7，9，10"算 24 点，只有 1 个解式.

9 用"7，8，8，10"算 24 点,只有 1 个解式.

10 用"7，8，9，10"算 24 点,只有 1 个解式.

11 用"7，8，10，10"算 24 点,只有 1 个解式.

12 用"8，8，8，10"算 24 点,只有 1 个解式.

第 *17* 讲

钟面上的数学

在日常生活、学习、工作中,我们都离不开时间,我们已经认识了时钟,这一讲,让我们一起来探究钟面上的数学问题吧.

例1 现在是中午 12 点,再过 108 个小时,太阳会出来吗?

解 每个昼夜 24 小时,108 个小时就是 4 昼夜零 12 小时,现在是中午 12 点,过 4 昼夜还是中午 12 点,再加上 12 小时,就到了晚上 12 点.所以,再过 108 个小时,正好是晚上 12 点,太阳是不会出来的.

随堂练习 1 小明早晨 8:00 到学校,下午 4:30 离开学校.小明一天在学校多少小时?

例2 小王家的钟停了,电台广播下午 2 点时,妈妈跟电台对钟,不小心把钟的时针与分针弄颠倒了.小王放学回家见钟才 2 点整.问:小王回家时,正确的时间是几点钟?

解 电台广播下午 2 点时,妈妈把钟的时针和分针弄颠倒了,此时钟面上的时间为 12 点 10 分,小王放学回家见钟是 2 点整,则钟走了 1 小时 50 分.所以,这时正确的时间是 3 点 50 分.

随堂练习 2 汽车每隔 15 分钟开出一班,小明想搭乘

9:30 那班车,可是到达车站时,已经是 9:38. 小明要在车站上等多长时间才能乘上下一班车?

例3 钟面上有 12 个数,你能在钟面上画一条线,把钟面分成两部分,使这两部分的数的和相等吗?

解 钟面上 12 个数的和是

$$1+2+3+4+5+6+7+8+9+10+11+12 = 78.$$

根据题意,把钟面分成两部分,两部分的和要相等,那么每一部分的几个数的和应该是 39. 我们知道:$12+1 = 13$,$11+2 = 13$,$10+3 = 13$,$9+4 = 13$,$8+5 = 13$,$6+7 = 13$. 那么我们可以如图 17-1 所示的方法划分.

图 17-1

随堂练习3 钟面上有 12 个数,你能画两条直线把钟面分割成三个部分,使每一部分的个数相等,数的和也相等吗?

例4 某线路公交车起点发车及到达终点的时间如下表所示,按此规律,求:

(1) 第五辆汽车起点发车时间及到达终点时间;

(2) 这条线路公交车从起点到终点行驶的时间.

车次	起点	终点
①	6:10	6:58
②	6:25	7:13
③	6:40	7:28
④	6:55	7:43
...	...	...

解 （1）车次①与车次②发车相隔时间为 6 时 25 分－6 时 10 分＝15 分钟；车次②与车次③发车相隔时间为 6 时 40 分－6 时 25 分＝15 分钟.所以车次⑤起点发车时刻为 6 时 55 分＋15 分＝7 时 10 分,到达终点时间为 7 时 10 分＋48 分＝7 时 58 分.

（2）车次①起点发车时间与到达终点时间相隔时间为 6 时 58 分－6 时 10 分＝48 分钟；车次②起点发车时间与到达终点时间相隔时间为 7 时 13 分－6 时 25 分＝48 分钟.所以这条线路公交车从起点到终点行驶的时间为 48 分钟.

随堂练习4 某火车站列车发车及到达终点站的时刻表如下:请你按照规律,求:

（1）车次⑥起点站发车时刻和到达终点站的时刻;

（2）这条线路一列火车行驶全程的时间.

车次	起点	终点
①	6:35	8:40
②	7:20	9:25
③	8:05	10:10
...	...	...

✌ **例5** 星期天,龙龙在家写一篇作文.开始时,他从镜子里看了一下钟,写完后又从镜子里看了一下钟,如图 17-2,你知道龙龙写这篇作文用了多少时间吗?

① 开始时 　　　② 写完时

图 17-2

解 小朋友只要用镜子实践一下,就会发现,任何物体经过镜面反射,位置就会发生变化:左边的在镜子里就成了右边,右边的就成了左边.根据这一规律,不难发现,龙龙开始写作文的时间是 8 点 20 分,写完时是 9 点 30 分.写作文一共用了 1 小时 10 分.

随堂练习5 一只钟的对面有一面镜子,镜子里的钟如图 17-3 所示,那么钟面上正确的时间是多少?

图 17-3

✌ **例6** 敏敏家有一个闹钟,每小时比标准时间快 2 分钟.星期天上午 9 点整,敏敏对准了闹钟,然后定上铃,想让闹钟在标准时间 11 点半闹铃,提醒她帮助妈妈做饭.敏敏应当将闹钟的铃定在几点几分上?

解 11:30+2(分)+2(分)+1(分)=11:35,应当将闹钟的铃定在 11:35 上.

随堂练习6 翔翔家有一个闹钟,每小时比标准时间慢 2 分钟.晚上 9 点整,小翔想第二天早晨 6:40 起床,于是他将闹钟的铃定在了 6:40.这个闹钟响铃的时间是标准时间的几点几分?

例 7 有一个时钟每小时快 20 秒,它在 3 月 1 日中午 12 时准确,那么下一次准确的时间是什么时间?

解 $60 \times 60 \div 20 \div 2 = 90$(天).

下一次准确的时间是 5 月 30 日 12 时.

随堂练习 7 小明家有两个旧挂钟,一个每天快 20 分钟,另一个每天慢 30 分钟.现在将这两个旧挂钟同时调到标准时间,它们至少要经过多少天才能再次同时显示标准时间?

练 习 题

1 电影 2 时 15 分开映,4 时零 5 分放映完,这部电影放映了多少时间?

2 一家商店上午 9 时开始营业,晚上 8 时停止营业.问:每天营业的时间是多少?

3 小凡从家到学校来回跑步要 8 分钟,如果去时步行,回来时跑步共需要 10 分钟.那么小凡来回都是步行要几分钟?

4 现在是上午 10 点,再过 60 小时,太阳会出来吗?

5 如图,观察在镜面反射后的钟面的指针位置,并说出:
(1) 两钟面所表示的实际时刻;

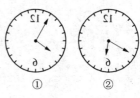

①　　　　②

(2) 两钟面的时间差.

第 5 题

6 有一只表,每小时慢 2 分钟,早上 8 点时,把表对准了标准时间,当中午标准时间 12 点整的时候,该表指向什么时间?

7 小明上午 8 点要到学校上课,可是家里的闹钟早晨 6 时 10 分就停了,他上足发条但忘了对表就急急忙忙上学去了,到学校一看还提前了 10 分钟.中午 12 时放学,小明回到家一看钟才 11 时整.如果小明上学、放学在路上用的时间相同,那么,他家的闹钟停了多少分钟?

8 看着钟表的秒针,测验一下你在 10 秒内能从 1 数到几?再测一下在 30 秒内你的脉搏跳多少次?

第 *18* 讲

这本书有多少页

每本书无论厚薄,都要编上页码.一般来说,页码都是从1开始的自然数,它看上去好像很简单,其实里面也包含了很多有趣的数学小问题.今天我们就一起围绕页码来做些小研究.

例1 小丁丁买了一本画册,她翻到最后一页,看到页码是70.请你算一下,编这本画册的页码一共用了多少个数字?

解 解答这个问题前,先要分清数字与数,这是两个不同的概念.数字是指0~9这十个数字,而数是由数字组成的.小丁丁买的画册最后一页是70页,那么编这本画册一共用了70个数,从第1页到第9页一共有9个一位数,用了9个数字;从第10页到第70页一共有70-9=61(个)两位数,每个两位数用2个数字,所以用了2×61=122(个)数字;合起来一共用了9+122=131(个)数字.

随堂练习1 小胖买了一本故事书,一共有85页,编这本书的页码一共用了多少个数字?

例2 编一本漫画书的页码一共用了95个数字,请你算一下,这本漫画书一共有多少页?

解 排一本书的页码,第 1 页～第 9 页,要用 9 个数字;第 10 页～第 99 页,一共 90 页,每个页码都是两位数,要用 2 个数字,所以一共用 $2 \times 90 = 180$(个)数字;第 100 页～第 999 页一共 900 页,每个页码都是三位数,要用 3 个数字,所以一共用 $3 \times 900 = 2700$(个)数字……

这本漫画书一共用了 95 个数字,最大的页码应该是两位数,是第$(95 - 9) \div 2 = 43$(个)两位数,$9 + 43 = 52$(页),所以这本漫画书一共有 52 页.

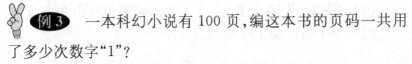

随堂练习2 编一本书的页码,一共用了 129 个数字,这本书有多少页?

例3 一本科幻小说有 100 页,编这本书的页码一共用了多少次数字"1"?

解 这个问题要分类计算,先算数字"1"在页码的个位上出现的次数,然后算它在页码的十位上出现的次数,最后算它在页码的百位上出现的次数,把各类的次数相加就能得到最后的答案.

(1) 个位出现的次数:每 10 个连续页码出现 1 次,即

1, 11, 21, 31, 41, 51, 61, 71, 81, 91,一共有 10 次;

(11 是看个位上的"1")

(2) 十位出现的次数:每 100 个连续页码出现 10 次,即

10, 11, 12, 13, 14, 15, 16, 17, 18, 19,一共有 10 次;

(3) 百位出现的次数:100 出现了 1 次.

$$10 + 10 + 1 = 21(\text{次}).$$

随堂练习3 排印一本 105 页的故事书的页码,一共用多少个"8"?

例4 编一本《数学趣味小故事》的页码,一共用了 19 个数字"0",这本书有多少页?

解 我们先算一算书的页码从第 1 到第 99 页要用几个数字"0".

(1) 个位:用 9 个"0",即

10, 20, 30, 40, 50, 60, 70, 80, 90;

(2) 十位:没有用"0";

(3) 还可以用 10 个数字"0",那么编第 100 页用去 2 个"0",编第 101 页~第 108 页用去 8 个"0",即

101, 102, 103, 104, 105, 106, 107, 108.

合起来正好用了 19 个数字"0",因此这本书有 108 页.

随堂练习4 编一本故事书的页码,正好用了 23 个数字"2",这本故事书有多少页?

例5 编一本画册的页码原先用了 69 个数字,后来又增加了 8 页,那么还要增加多少个数字编页码?

解 我们可以先算出画册原来用 69 个数字编到第几页,然后再算出增加页数所用的页码. $(69 - 9) \div 2 = 30(\text{页})$,$30 + 9 = 39(\text{页})$,因此原先画册编到 39 页,后来又增加了 8 页,是从第 40 页到第 47 页,因为每个页码都是两位数,因此

增加 $2 \times 8 = 16$（个）数字.

或者先估计一下这本画册最后一页的页码是几位数,因为编完两位数的页码要用 180 个数字,而现在只用了 69 个数字,说明最后一页的页码一定是两位数,那么增加 8 页的页码也都是两位数,因此增加了 $2 \times 8 = 16$（个）数字.

随堂练习5　编一本故事书原先正好用了 189 个数字,后来又增加了 10 页,那么还要增加多少个数字编页码?

✌ **例 6**　一本书有 59 页,在 59 个页码中,不含数字"0"和"1"的页码有多少个?

解　这个问题我们可以模仿例 3,也来分类计算.

(1) 第 1 页～第 9 页,符合条件的页码有 8 个,即

$$2, 3, 4, 5, 6, 7, 8, 9.$$

(2) 第 10 页～第 19 页,所有页码的十位上都有数字"1",因此都排除.

(3) 第 20 页～第 29 页,符合条件的页码有 8 个,即

$$22, 23, 24, 25, 26, 27, 28, 29.$$

(4) 第 30 页～第 39 页,第 40 页～第 49 页,第 50 页～第 59 页,符合条件的页码都分别有 8 个,$8 + 8 + 8 = 24$（个）.

因此合起来不含数字"0"和"1"的页码,一共有

$$8 + 8 + 8 + 8 + 8 = 40（个）.$$

随堂练习6　一本书有 48 页,在 48 个页码中,不含数字"2"和"8"的页码有多少个?

练 习 题

1 编一本故事书的页码,一共用了 95 个数字,这本故事书有多少页?

2 一本动漫书一共有 80 页,编这本书的页码一共用了多少个数字?

3 排印一本书的页码时,用了 131 个数字,这本书的最后一页的页码是多少?

4 一本小辞典一共有 200 页,编页码时一共用了多少个数字?

5 一本数学书一共有 120 页,数字"0"在页码中一共出现了多少次?

6 一本书有 123 页,在这本书的页码中,数字"1"出现了多少次?

7 编一本故事书的页码,一共用了 24 个数字"3",这本故事书有多少页?

8 编一本画册的页码原先用了 155 个数字,后来减少了 8 页,那么比原先少用多少个数字?

9 一本书有 56 页,在 56 个页码中,不含数字"0"和"3"的页码有多少个?

10 一本书有 105 页,编这本书的页码一共用了多少个数字?在这些数字中"1"和"5"一共出现了多少次?

第 19 讲

逆 序 推 理 法

我们解决数学问题,经常根据已知的条件,一步步推算出结果.但有时会遇到类似下面的问题:有一个数,把它减去 5 后,再乘 3,得到 30,这个数是几? 正确答案是 15.其实方法很简单,只要从结果出发,利用已知条件倒着分析、推算就可以了,这种方法叫逆序推理法,又叫倒推法,这也是解决数学问题时一种常用的思考方法.下面就用这个方法来解决数学问题吧!

例1 水池中睡莲所遮盖的面积,每天都增加 1 倍,6 天正好遮住了整个水池,如果只要遮住水池的一半,那么需要多少天呢?

解 从最后的结果开始倒着想:如果第 6 天睡莲正好遮住了整个水池,那么前一天正好遮住水池的一半,这一天应是第 5 天.所以睡莲遮住水池的一半需要 5 天.

随堂练习1 池塘里的浮萍盖住水面的面积,每天都增加 1 倍,10 天正好遮住了整个水面,如果浮萍只遮住了水面的一半,那是第几天呢?

例2 有一根绳子,第一次剪去一半多 1 米,第二次剪去剩下的一半多 1 米,结果还剩下 1 米.这根绳子原来长多少米?

解 这样的问题我们可以用图 19-1 来表示剪的过程:

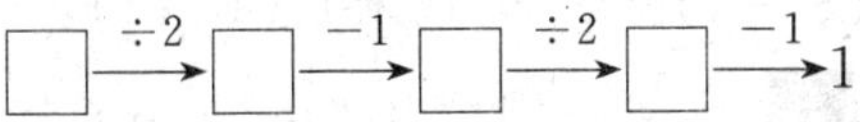

$$\boxed{} \xrightarrow{\div 2} \boxed{} \xrightarrow{-1} \boxed{} \xrightarrow{\div 2} \boxed{} \xrightarrow{-1} 1$$

图 19-1

我们用逆序推理法得图 19-2:

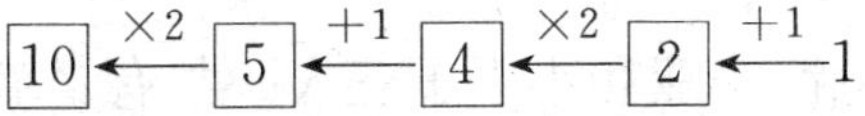

$$\boxed{10} \xleftarrow{\times 2} \boxed{5} \xleftarrow{+1} \boxed{4} \xleftarrow{\times 2} \boxed{2} \xleftarrow{+1} 1$$

图 19-2

算式是:$(1+1) \times 2 = 4(米),(4+1) \times 2 = 10(米)$.

随堂练习2 商店里有一批卡通手表,第一天卖出总数的一半多 1 块,第二天卖出剩下的一半多 1 块,结果还剩下 4 块卡通表.原来商店里一共有多少块卡通手表?

例3 有一根绳子第一次剪去一半多 1 米,第二次剪去剩下的一半少 1 米,结果还剩下 3 米.这根绳子原来长多少米?

解 我们仍可以用图 19-3 来表示剪的过程:

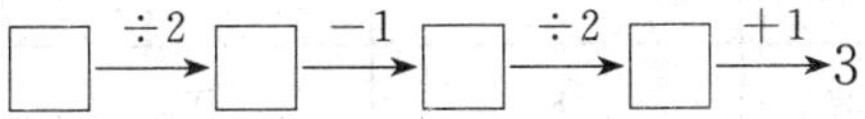

$$\boxed{} \xrightarrow{\div 2} \boxed{} \xrightarrow{-1} \boxed{} \xrightarrow{\div 2} \boxed{} \xrightarrow{+1} 3$$

图 19-3

因为第二次是剪去剩下的一半少 1 米,因此剩下的是一半多 1 米,所以要先除以 2 再加上 1.

我们用逆序推理法得图 19-4:

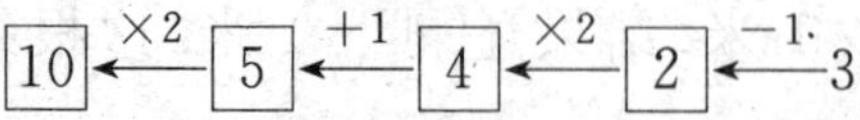

$$10 \xleftarrow{\times 2} 5 \xleftarrow{+1} 4 \xleftarrow{\times 2} 2 \xleftarrow{-1} 3$$

图 19-4

算式是：$(3-1) \times 2 = 4$(米)，$(4+1) \times 2 = 10$(米)．

随堂练习 3 　　有一袋苹果，小星拿了其中的一半多 1 个，小芳拿了剩下的一半少 1 个，袋子里还有 4 个苹果．那么原来这袋苹果有多少个？

例 4 　　小胖、小亚和小丁丁三人一共有铅笔 30 支，小胖给小亚 6 支，小亚给小丁丁 5 支，小丁丁给小胖 2 支，这时三人铅笔支数就相等了．你知道他们三人原来各有铅笔多少支吗？

　　解 　　因为最后三人铅笔的支数相等，而总支数没有发生变化，那么我们就可以知道最后三人每人都有铅笔

$$30 \div 3 = 10 (支)．$$

　　然后我们从结果往前推算，可以列出下表来帮助分析．

	小胖	小亚	小丁丁
结果	10	10	10
小丁丁给小胖前	8	10	12
小亚给小丁丁前	8	15	7
小胖给小亚前	14	9	7

　　观察三人铅笔支数的变化，可以列出下面的算式来解答：

$$30 \div 3 = 10 (支)．$$

小胖：$10-2+6=14$(支)；　小亚：$10+5-6=9$(支)；

小丁丁：$10+2-5=7$(支).

随堂练习4　　三个篮子里一共有 30 个苹果,如果从第一个篮子里取 3 个苹果放入第二个篮子,再从第二个篮子里取出 5 个苹果放入第三个篮子,这时三个篮子里的苹果就一样多了.你知道三个篮子里原来各有几个苹果吗?

说明　用逆序推理法解决数学问题时,首先要理解题中数量变化的顺序,再从结果出发,按它变化的相反方向一步一步往前推算.推算时一定要周密、全面哦!

练 习 题

1 小丁丁往一只篮子里放苹果,如果篮子里的苹果数目每分钟增加一倍,5 分钟后篮子就放满了.那么几分钟时篮子里有一半的苹果呢?

2 有一根绳子,第一次剪去一半多 2 米,第二次剪去剩下的一半多 2 米,这时绳子还剩 2 米.这根绳子长几米?

3 小朋友们分一堆苹果,先把苹果的一半给女同学,然后再把剩下的一半多 2 个分给男同学,最后还剩 4 个苹果.这堆苹果原来有多少个?

4 小丽用 4 元买了一本《童话大王》,又用剩下的钱的一半买了一本《儿童时代》,买钢笔又用去剩下的钱的一半多 1 元,最后还剩 4 元.小丽原来有多少元?

5 小丸子采完苹果要出果园,果园里有三道门,出第一道门时,小丸子给了看门人自己所采苹果的一半多 1 个;出第二道门时,她又给看门人剩下苹果的一半多 1 个;出第三道门时,小丸子仍然给看门人剩下苹果的一半多 1 个;最后她只剩 1 个苹果.那么小丸子原先一共采了多少个苹果?

6 老师买了一些练习本奖励给小朋友,第一组得到了总数的一半少 3 本,第二组得到了余下的一半多 1 本,最后剩下的 6 本奖给了第三组.老师一共买来多少本练习本?

7 一捆电线,第一次用去全长一半多 3 米,第二次用去余下的一半少 10 米,第三次用去 15 米,最后还剩 7 米.这捆电线原来总长多少米?

8 小胖、小亚和小丁丁三个小朋友交流年历片,小胖给小亚 2 张,小亚给小丁丁 1 张,小丁丁给小胖 3 张,他们都有了 5 张.那么他们原来各有多少张?

9 超市的一个三层货架上共有 60 瓶可乐,从第一层拿出 5 瓶放入第三层,从第二层拿出 7 瓶放入第一层后,三层的可乐就一样多.那么三层货架上原来各有多少瓶可乐?

10 甲、乙、丙三桶油共重 48 千克,如果从甲桶倒出 8 千克到乙桶,从乙桶倒出 6 千克到丙桶,这时三只桶的千克数相等.问:原来每只桶内各有多少千克油?

 第**20**讲

简单的周期问题

小朋友,你知道一年有哪几个季节吗?

每一年有四个季节,按春、夏、秋、冬的顺序反复出现.像这样重复出现的现象叫周期现象.我们可以利用周期现象解决许多问题.

 例1 按照下图规律接着画下去,第 16 个图形应该是什么图形?

(1) ●△△●△△●△△●△△●△△……

(2) ☆○○□☆○○□☆○○□……

解 (1) 这些图形按"●△△"依次不断重复出现,以 3 个图形为一个周期.先算出 16 个图形里有几个周期:16÷3=5……1,商 5 表示有 5 个周期;余 1 表示第 6 个周期的第 1 个图形,即第 16 个图形为"●";

(2) 这些图形按"☆○○□"依次不断重复出现,以 4 个图形为一个周期.16÷4=4,没有余数,表示第 16 个图形正好是第 4 个周期的最后一个图形,即"□".

随堂练习1 按照下图规律画下去,第 107 个图形应该是什么图形?

□☆▼○△□☆▼○△……

例2 一串珠子,按图 20-1 排列,那么第 33 颗是什么珠子? 第 60 颗是什么珠子?

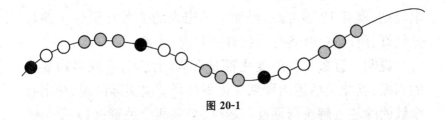

图 20-1

解 这串珠子的排列是有规律的,即按"●○○○⬤⬤"依次不断重复出现,每 6 颗珠子为一个周期.先算出 33 颗珠子形成几个周期：$33 \div 6 = 5 \cdots\cdots 3$,余数是 3,表明第 33 颗珠子是第 6 个周期的第 3 颗珠子,即"○".

$60 \div 6 = 10$,表明 60 颗珠子正好排完 10 个周期,即"⬤".

随堂练习 2 一串珠子有 26 颗,依次按"一红三黑"的顺序染色,最后一颗应染什么颜色?

例3 节日里街上挂起彩灯,从第一盏灯开始,按照红、黄、蓝、绿各一盏的顺序依次重复排下去.问：

(1) 第 50 盏灯是什么颜色?

(2) 这 50 盏灯里红灯有几盏?

解 因为彩灯的排列顺序为红、黄、蓝、绿各一盏依次重复排下去,也就是说把 4 盏灯作为一个周期,所以根据这一规律先算出 50 盏灯里有几个周期：

$$50 \div 4 = 12 \cdots\cdots 2.$$

(1) 以上算式表示 50 盏灯共有 12 个周期,余 2 表示多 2

盏灯,即从下一个周期起,从红灯开始数起的第二盏灯为黄灯,所以第 50 盏灯的颜色是黄色;

(2) 因为每个周期里有 1 盏红灯,这 50 盏灯里共有 12 个周期,就有 12 盏红灯,再加上多出来的 2 盏灯里有 1 盏是红灯,所以这 50 盏灯里红灯一共有 13 盏.

说明 许多事物的变化都是有周期性的,掌握事物变化的周期,就能灵活运用周期变化规律来解决实际问题. 在用有余数的除法去解决周期性问题时,把握两个关键:(1) 要明确以几个数为一个周期;(2) 余数是表示为新一轮周期开始的第几个数,如余数为 3,则表示新一轮周期开始后的第 3 个数.

随堂练习 3 国庆节挂彩灯,按"红、黄、蓝、绿、白、紫"的顺序,一共挂了 61 盏彩灯. 第 61 盏灯是什么颜色? 这 61 盏灯里黄灯有几盏?

 例4 有一列数:2, 3, 5; 2, 3, 5; 2, 3, 5; …. 问:

(1) 第 26 个数是几?

(2) 这 26 个数的和是多少?

解 (1) 从这列数中可以看出,2, 3, 5 为一组,因此 26 个数可以组成

$$26 \div 3 = 8(组) \cdots\cdots 2(个),$$

所以,第 26 个数为 3;

(2) 要求这 26 个数的和,可以先求出一组 3 个数的和,如 2+3+5=10,26 个数中有这样的 8 组再加上第 9 组的前 2 个数 2 和 3,所以 26 个数的和为

$$10 \times 8 + 2 + 3 = 85.$$

有一列数:2,4,1;2,4,1;2,4,1;….问:(1) 第25个数是几?(2) 这25个数的和是多少?

例5 A、B、C、D、E 五个盒子中依次放有 9、5、3、2、1 个小球,第 1 个小朋友找到放球最少的盒子,然后从其他盒子中各取一个球放入这个盒子;第 2 个小朋友也先找到放球最少的盒子,然后也从其他盒子中各取一个球放入这个盒子……当 100 位小朋友放完后,A、B、C、D、E 五个盒子中各放有几个球?

解 前 n 位小朋友放过后,A、B、C、D、E 五个盒子中的球数如下表:

盒子	A	B	C	D	E
开始	9	5	3	2	1
第1次后	8	4	2	1	5
第2次后	7	3	1	5	4
第3次后	6	2	5	4	3
第4次后	5	6	4	3	2
第5次后	4	5	3	2	6
第6次后	3	4	2	6	5
第7次后	2	3	6	5	4
第8次后	6	2	5	4	3

由上表可看出,第 8 次后与第 3 次后的情况相同,即从第 3 次后开始,每 5 次情况循环出现.$(100-2)÷5=19……3$,

第 100 次后的情况与第 2＋3＝5(次)后的情况相同，A、B、C、D、E 盒中依次放有 4、5、3、2、6 个球.

随堂练习5　把自然数按下表规律排列后，可分成 A、B、C、D、E 五类，例如 4 在 E 类，11 在 D 类，那么 99 在哪一行的哪一类？

A	B	C	D	E
	1	2	3	4
8	7	6	5	
	9	10	11	12
16	15	14	13	
	17	…	…	…
…	…	…	…	

例6　小明按 1～5 报数，小红按 1～7 报数，当两人都各自报了 666 个数时，小红报的数字之和比小明报的数字之和多多少？

解　当两人各报了 35 个数时，小明报了 7 轮，数字之和为 105，小红报了 5 轮，数字之和为 140，相差 140－105＝35. 以后两人每各报 35 个数，情况重复出现一次. $666÷35＝19……1$，当两人各报了 665 个数时，小红报的数字之和比小明多 665. 因为最后一个数两人都报"1"，所以所求数为 665.

随堂练习6　小明按 1～3 报数，小红按 1～5 报数. 两人以同样的速度同时开始报数，当两人都报了 100 个数时，有多少次两人报的数相同?

练 习 题

1 一串珠子,如图排列,那么第 100 颗珠子是什么珠子?

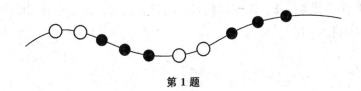

第 1 题

2 按如图所示排列的 50 个三角形中,共有多少个△?

▲▲△△▲△▲▲△△▲△▲▲……

第 2 题

3 植树节那天,同学们按 1 棵松树、2 棵香樟树、3 棵广玉兰的顺序栽树,那么第 15 棵是什么树? 第 30 棵又是什么树?

4 国庆节挂彩灯,按"红、黄、蓝、白、绿、紫"的顺序挂,一共挂了 50 只彩灯.问:第 50 只彩灯是什么颜色的? 红色的彩灯共有多少只?

5 有红、黄、蓝三种颜色的彩旗 50 面,按 4 面红旗、3 面黄旗、2 面蓝旗的排列顺序挂着.那么最后一面彩旗是什么颜色? 红旗共有几面?

6 有一串数:3,7,2,4,1,3,7,2,4,1,….前 30 个数的和是几?

7 有一串数:1,2,2,3,3,3,1,2,2,3,3,3,….
(1) 从第一个数到第 63 个数全部加起来,和是多少?

(2) 从第一个数起逐个相加,若和为 358,那么共加了多少个数?

8 有一串数:

  4,7,8,6,8,8,4,2,8,6,8,8,4,2,8,6,….

从第 3 个数起每个数都是它前两个数乘积的个位数,那么这串数的第 100 个数是多少?

9 1991个学生按下列方法编号排成五列：

一	二	三	四	五
1	2	3	4	5
9	8	7	6	
	10	11	12	13
17	16	15	14	
	...	...	...	...

问：最后一个学生应该站在第几列？

10 下表中文字、字母、数字组成一组，如第一组是(石、A、5)；那么第 95 组是什么？这 95 组中所有数字之和是多少？

石	头	剪	子	布	石	头	剪	子	布	石	...
A	A	B	C	A	A	B	C	A	A	B	...
5	1	5	5	1	5	5	1	5	5	1	...

第 21 讲

奇 数 和 偶 数

在数学中,像 1, 3, 5, 7, 9, …,这样的数叫奇数,像 2, 4, 6, 8, 10, …,这样的数叫偶数. 对于奇数和偶数,我们已经学过了一些简单的性质.

(1) 偶数＋偶数＝偶数,例如 $4 + 8 = 12$.

(2) 奇数＋奇数＝偶数,例如 $9 + 5 = 14$.

(3) 偶数－偶数＝偶数,例如 $18 - 10 = 8$.

(4) 奇数－奇数＝偶数,例如 $15 - 9 = 6$.

(5) 奇数＋偶数＝奇数,例如 $21 + 6 = 27$.

(6) 奇数－偶数＝奇数,例如 $27 - 10 = 17$.

(7) 偶数－奇数＝奇数,例如 $24 - 11 = 13$.

根据这些性质,我们可以解决很多有趣的问题.

例1 晚上,小亚在做作业,突然停电了,小亚去拉了 2 下开关. 妈妈回来了,在小亚的房间里又拉了 3 下开关,请你想一想,等电来了,灯是亮着还是不亮着?

解 我们可以列表来解决这个问题.

拉的次数	1	2	3	4	5	6	…
灯	不亮	亮	不亮	亮	不亮	亮	…

观察上表可以发现规律,由于原来的灯是亮着的,所以拉单数次灯,灯是不亮的;拉双数次灯,灯是亮着的.因为一共是拉 2+3=5(次),所以灯是不亮的.

说明 解决这类问题要注意以下两点:(1) 变化前的状态是怎样的;(2) 改变的次数是单数次,情况与原来是相反的,改变的次数是双数次,那么情况与原来相同.

例 2 下面两个算式中,每个方框代表一个整数,其中每个算式中至少有一个奇数,这 6 个整数中有几个是偶数?

(1) □ + □ = □

(2) □ - □ = □

解 一共有两个偶数,(1)、(2)中各有 1 个.我们以算式(2)为例来说明.

首先已知算式(2)中只有 1 个奇数,分三种情况:

① 奇数在第一个方格中,我们可以用图 21-1 来表示:

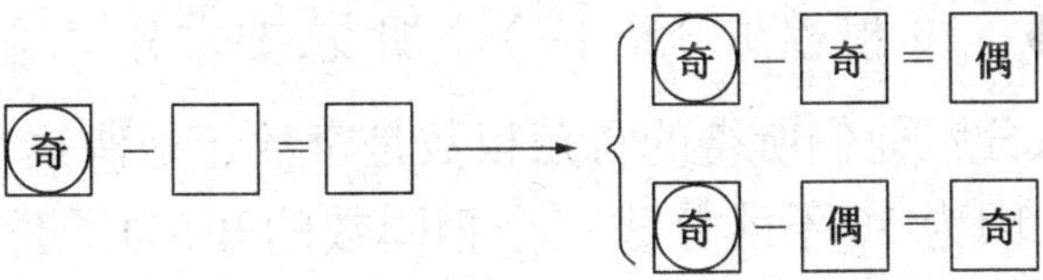

图 21-1

② 奇数在第二个方格中,情况同①,第一个方格和第三个方格中,总有一个方格是奇数,如图 21-2:

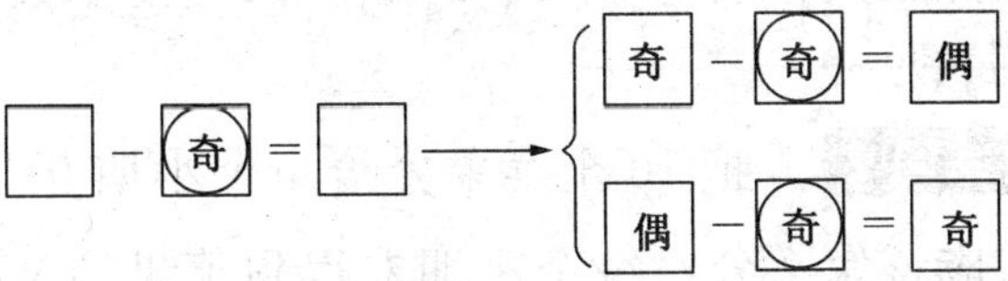

图 21-2

③ 奇数在第三个方格中,情况也一样,第一个方格和第二个方格中,总有一个方格是偶数,如图21-3:

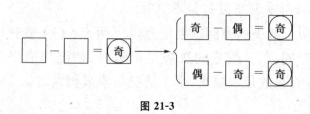

图 21-3

由①、②和③知,算式(2)中的三个数中都有且只有一个偶数.算式(1)的情况也可做类似的分析.综上所述,每个式子中只出现一个偶数,因此一共有两个偶数.

随堂练习1　下面的算式中,每个圆圈代表一个整数,其中每个算式中至少有一个偶数,这6个整数中最多有几个奇数?

(1) ○ + ○ = ○　　　(2) ○ - ○ = ○

例3　16根香蕉分给3个小朋友,要求分得尽量公平,应该怎么分? 他们所得的香蕉根数是奇数还是偶数?

解　因为16不能分成三个相同数的和,为了公平,应尽量缩小三个人之间的差距.由于$16 = 5 + 5 + 6$,其中一个人比另外两个人多分得一根香蕉,另两人分得的香蕉一样多,都是5根.其他的分法都会出现某两个人分得的香蕉数相差2的情况.因此三人分别得5、5、6根香蕉,这三个数分别是奇数、奇数、偶数.

随堂练习2　把10个苹果分给4个小朋友,要求分得尽量公平,应该怎么分? 每个小朋友得到苹果的个数是奇数还是偶数?

例4 如图 21-4,将一个 5×5 的正方形的每个小方格里填上一个数,这个数是这样产生的:将这个小方格所在的行数与它所在的列数加起来,这个和就是小方格里要填的数.例如:图中小方格中的 $A = 3 + 2 = 5$,因为 A 所在的小方格是在第 3 行第 2 列.按这个办法,我们将这个 5×5 的正方形中的每个小方格都填上数,那么这 25 个数中,奇数多还是偶数多?

图 21-4　　　　　　　图 21-5

解 将每个小方格里的数算出来,数一数奇数和偶数的个数,再比较一下,就知道是奇数多还是偶数多.如图 21-5,我们数出奇数有 12 个,偶数有 13 个,所以是偶数多.

随堂练习3 如图 21-6,将一个 6×6 的正方形的每个小方格里填上一个数,填数的规则是:这个数等于它所在小方格的行数与列数的和.那么所填的 36 个数中,奇数多还是偶数多?多几个?

图 21-6

 例5 有一行数,第 1 个数是 1,第 2 个数也是 1,从第 3

个数开始,每个数是它前面两个数的和:1, 1, 2, 3, 5, 8, 13, 21, 34, …,照这样写下去,第 12 个数是奇数还是偶数? 第 40 个数呢?

解 我们将这一行数中每个数是奇数还是偶数写下来:

1, 1, 2, 3, 5, 8, 13, 21, 34, …

奇 奇 偶 奇 奇 偶 奇 奇 偶 …

我们发现,对于这行数,奇偶数的规律是:奇奇偶,奇奇偶,奇奇偶……也就是两个奇数后是一个偶数,每 3 个数循环出现,也就是说第 3, 6, 9, 12, 15, … 个数是偶数,其余的都是奇数.因此第 12 个数是偶数,第 39 个数是偶数,那么第 40 个数是奇数.

随堂练习 4 有这样一串数:

1, 4, 7, 10, 13, 16, 19, 22, ….

这些数中第 27 个数是奇数还是偶数? 第 60 个数呢?

例 6 1＋3＋5＋7＋9＋11＋13＋15＋17＋19 的和是奇数还是偶数?

解 这题不用计算能知道答案吗? 能,因为奇数＋奇数＝偶数,在这个算式中一共有 10 个奇数,如果 2 个奇数为一组,共 5 组.每组 2 个奇数的和都是偶数,而偶数＋偶数＝偶数,所以这个算式的和是偶数.

随堂练习 5 不计算,你能知道 5＋7＋9＋11＋13＋15＋17 的和是奇数还是偶数? 为什么?

例 7 有 10 名同学排成一行,按 1～10 顺序报数,老师说:"请报奇数的同学出列."剩下的同学不改变前后顺序,再从1开始报数,老师继续请报奇数的同学出列.就这样报了几次后,最后只剩下1个人,这名同学第一次报的是几号?

解 第一次报数后,1号、3号、5号、7号和9号都出列,剩下的是2号、4号、6号、8号和10号;第二次报数后,原先的2号、6号、10号分别报1、3、5,因此都要出列,剩下的是4号和8号;第三次报数后,因为4号报1,所以必须出列.那么最后剩下的这名同学是8号.

随堂练习6 如果有17名同学排成一行,从1开始报数,每次都请报奇数的同学出列.那么报了几次后,最后只剩下1个人,这名同学第一次报的是几号?

练 习 题

1 下面的算式中,每个圆圈代表一个整数,其中4个整数中至少有一个是奇数,至少有一个是偶数.那么这4个整数中,奇数和偶数分别有几个?

$$\bigcirc + \bigcirc - \bigcirc = \bigcirc$$

2 从1开始写数,一直写到59,一共有59个数,其中是奇数多还是偶数多?多几个?

3 12 个足球,分给 5 个班的同学玩,要求分得尽量公平,应该怎么分? 每个班所得到的足球个数是奇数还是偶数?

4 有 25 个皮球,分给 5 组小朋友做游戏,每组都分到单数只,而且只数都不相同. 每组各分到几只皮球?

5 元旦前,同学们互相赠送贺年卡,如果每人收到一张贺卡后都要回送一张,那么所送贺卡的总数是奇数还是偶数?

6 有一行数:第一个数是 1×1,第二个数是 2×2,第三个数是 3×3, $\cdots$,即:1, 4, 9, 16, 25, 36, 49, $\cdots$,照这样写下去,第 11 个数是奇数还是偶数? 第 100 个数呢?

7 如图,将一个 7×7 的正方形的每个小方格里填上一个数,填数的规则是:这个数等于它所在小方格的行数与列数的和.那么所填的 49 个数中,奇数有多少个? 偶数有多少个?

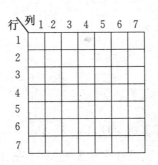

第 7 题

8 有一列数:1, 1, 2, 4, 7, 13, 24, 44, 81, …,从第 4 个数开始,每个数都是前三个数的和,照这样写下去,第 35 个数是奇数还是偶数?

9 不计算,你知道算式 3＋5＋7＋9＋11＋13＋15＋17＋19＋21 的和是奇数还是偶数?

10 妈妈带小胖和小亚去看电影,可是到了电影院却发现忘带电影票了,检票员说只要记得电影票是几排几座的,就可以进去. 妈妈只记得三张电影票是 24 排的,座位是相连的,而且座位号的和也是 24,你知道这三张票是 24 排几座呢?

11 下面有一列算式:1, 1+2, 1+2+3, 1+2+3+4, 1+2+3+4+5, 1+2+3+4+5+6, …,那么 1+2+3+4+5+6+…+18+19+20 的和是奇数还是偶数?

12 有 50 名同学排成一行按 1～50 顺序报数,老师说:"请报奇数的同学出列."然后剩下的同学继续从 1 开始报数,报完后老师仍然请报奇数的同学出列. 报了几次后,最后队伍里只剩下 1 个人,这名同学第一次报几号?

第**22**讲

智 力 计 数

计数,就是数数,这是最简单的算术问题.但是,最简单的问题常常是最重要的问题.随着问题性质和条件的日益多样化,计数成了发展我们智慧很重要的领域,成为数学中的一个有趣而又深奥的领域.我们从小学点计数的简单技巧,就会使我们头脑逐步灵活,为今后学习和生活打下良好的基础.

计数之所以可以培养聪明的头脑,最主要原因就是,它要求我们善于变换角度看问题,善于细心抓问题本质,善于从实践中发现规律.

✌ **例1** 一队男生有 8 人,老师要求在 2 名男生中间插进 1 名女生,那么可以插进多少名女生?

解 方法1:按老师要求,在 2 名男生中间插进 1 名女生后,队伍的排列情况是:男女男女男女男女男女男女男女男,数一数,可知插进的女生共 7 人.

方法2:也可以这样想:把男生看成"树",把女生看成"间隔",按植树问题的方法就可以解答.两头都是男生,就像两头都有树一样,女生数应等于男生数减 1,8-1=7(人).

随堂练习1 冬冬用 12 张纸订成一个本子,从头数起,每隔 3 张纸放入一片树叶,这个本子内一共放入多少片树叶?

例2 沿着跑道插着 11 面旗,旗与旗之间间距相同,第 1 面旗插在起点.运动员从起点起跑经过 6 秒钟到达第 6 面旗,运动员到达第 11 面旗时,需要跑多少秒?

解 在起点插着第 1 面旗,在起点运动员起跑时,时间是从 0 秒开始计时的.运动员跑到第 6 面旗时,实际上是跑了 5 段间距,这时他用了 6 秒钟的时间;当他跑到第 11 面旗时,实际上又跑了 5 段间距,所以又用了 6 秒钟,总共用了 12 秒钟.

随堂练习2 三点钟时,挂钟打响三下,用了 12 秒.到六点钟时,挂钟打响六下,要用几秒钟?

例3 青青每年都和家长一起参加植树节活动,7 岁那年,她种了第一棵树,以后每年都比前一年多种一棵,现在她已经长到 15 岁了,连续种了九年树.请你算一算,这九年中青青一共种了多少棵树?

解 把青青每年种的树列表如下:

岁数	7	8	9	10	11	12	13	14	15
棵数	1	2	3	4	5	6	7	8	9

$$1+2+3+4+5+6+7+8+9 = 45(棵).$$

随堂练习3 如图 22-1,空地上堆放着一堆圆木,你能很快地算出它的总数有多少根吗?

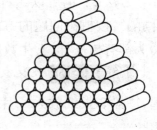

图 22-1

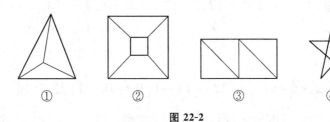

例4 (1) 如图22-2,给出四个平面图形,数一数每个平面图形各有多少个顶点? 多少条边? 它们分别围成了多少个区域(即将每个图形分成几部分)? 请将结果填入下表:

① ② ③ ④

图 22-2

	顶点数	边数	区域数
图①			
图②			
图③			
图④			

(2) 分析表上的每一行所填的三个数,猜一猜平面图形的顶点数、边数、区域数之间有什么关系?(请列出一个式子)

(3) 现已知某一个平面图形有 44 个顶点、45 个区域,试根据(2)所列出的式子确定这个图形的边数.

解 (1) 见下表:

	顶点数	边数	区域数
图①	4	6	3
图②	8	12	5
图③	6	9	4
图④	10	15	6

(2) 我们发现以下规律：

	边数	顶点数＋区域数
图①	6	$4+3=7$
图②	12	$8+5=13$
图③	9	$6+4=10$
图④	15	$10+6=16$

规律是：$6=7-1, 12=13-1, 9=10-1, 15=16-1.$

$$边数 = 顶点数＋区域数－1. \qquad (公式)$$

(3) 现已知：顶点数 $=44$，区域数 $=45$.

根据(2)总结的规律(公式)得

$$边数 = 44+45-1 = 88.$$

答：边数是 88.

 例5 将一个圆形纸片用直线划分成若干部分，请问：用 5 条直线最多可将圆形纸片划分成多少部分？

解 很显然，一条直线将圆形纸片划分成 2 部分；两条直线，最多将圆形纸片划分成 4 部分. 现在考虑三条直线最多将圆形纸片划分成几部分，我们用图形来说明问题，如图 22-3 是三条直线将图划分的各种情况：

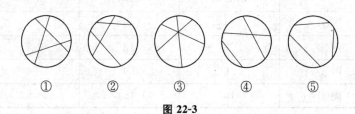

① ② ③ ④ ⑤

图 22-3

由上面 5 个图形可见,图①分出的部分最多,由此可知,若希望将纸片划分成尽可能多的块数,应该使新划出的直线与原有的直线在圆内都相交,而且交点各不相同,这时增加部分的数目等于此时圆内的直线条数.依此规律,直线的条数与圆内划分出部分的最多块数有以下规律:

直线条数	纸片最多划分成的部分数
1	$1+1$
2	$1+1+2$
3	$1+1+2+3$
4	$1+1+2+3+4$
5	$1+1+2+3+4+5$

所以,5 条直线最多可将圆形纸片划分成

$$1+1+2+3+4+5=16(块).$$

随堂练习4　用 8 条直线最多可将一张正方形纸片划分成多少部分?

在计数时,我们还可以把解决问题的方法先分类,然后数出每一类方法的数量,最后把它们相加,能得到总数,这也是一种科学、周密的思考方法,能保证数出的结果不重复也不遗漏.下面就举些例子来熟悉这个方法.

例6　小明、小华和小强去公园游玩,他们三人站在一排,请一位游人给他们三人合影,他们想多照几张,每两张之间三人排的次序都不同,他们一共应照几张照片?

解　可以将三人的位置分为左、中、右,用图 22-4 简单表示.

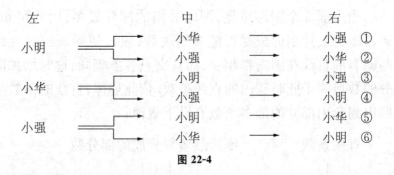

	左	中	右

图 22-4

再简明表示为(小明、小华、小强),(小明、小强、小华),
(小华、小强、小明),(小华、小明、小强),(小强、小明、小华),
(小强、小华、小明)共 6 种排法.

随堂练习5　把〇、☆、◇三个图形排成一行,一共有
多少种不同的排法?

例7　有 8 张卡片,上面分别写着 1 到 8,从中取出 3
张,要使这 3 张卡片上的数字和为 9,有多少种不同的取法?

解　"取 3 张卡片使上面的数字和为 9",我们将它分三
步:取第一张,取第二张,取第三张,首先确定 3 张卡片中数字
最大的卡片.

显然,8 和 7 都不能取.因为最小的两张卡片 1 和 2 与它
们相加都超过 9,所以从 6 开始取.

第 1 张取 6,6＋1＋2＝9,另两张分别取 1 和 2.

第 1 张取 5,5＋1＋3＝9,另两张分别取 1 和 3.

第 1 张取 4,4＋2＋3＝9,另两张分别取 2 和 3.

而最大数字不超过 3 的三张卡片加起来和都小于 9.所
以只有 3 种不同的取法.

随堂练习6 有 9 张卡片,上面分别写着 1 到 9,从中取出 3 张,要使这 3 张卡片上的数字和为 11,有多少种不同的取法?

例 8 用数字 1,2,3,4 可以组成多少个没有重复数字的两位数?

解 一个两位数由十位数和个位数组成,只要这两位数上的数字排定了,这个两位数就确定了.分两步完成:第一步先排十位数,第二步排个位数.共有 4 个数字可用,具体排法如下:

(1) 十位数排 1 有 12,13,14 共三种;

(2) 十位数排 2 有 21,23,24 共三种;

(3) 十位数排 3 有 31,32,34 共三种;

(4) 十位数排 4 有 41,42,43 共三种.

合起来,一共有 $3+3+3+3=12$(种).

随堂练习7 用数字 0,1,6,8 可以组成没有重复数字的两位数一共有几个?

练 习 题

1 用 100 根绳子接成一根长绳,一共要打多少个结?

2 街道旁有 6 根电灯柱,每两根灯柱之间有 4 家商店,这条街道一共有多少家商店?

3 如图,数一数,图中一共有多少个"＊"?

第 3 题

4 学校开运动会,在操场走道两边插彩旗,每边长 8 米,每隔 1 米插一面彩旗,走道的起点、终点都要插,一共要插多少面彩旗?

5 三个人同时唱一首歌唱完用了三分钟,6 个人同时唱这首歌,唱完需要几分钟?

6 小林看书,从第一页看起,每天看 6 页,看了 4 天,第五天应从第几页看起?

7 一根绳子,先折成相等的 5 段,再对折一次,然后从中间剪开.请问:这根绳子一共被剪成几段?

8 有一个挂钟,在 6 点钟时敲了 6 下,用时 5 秒钟.请问:在敲 12 点钟时,用了几秒?

9 某人要到十层大楼的第八层办事,不巧停电.如果从一层楼走到四层楼需要 48 秒,请问:以同样的速度往上走到八层,还需要几秒?

❿ 如图，用红、黄、蓝、绿四种颜色给下面长方格子涂色，一共有几种不同的涂法？（红黄、黄红视为同一种）

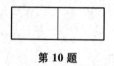

第 10 题

⓫ 用数字 2，3，6，8 可以组成多少个没有重复数字的两位数？

⓬ 有红、黄两种颜色的小旗子各三面，从这六面旗中取出其中的三面挂在一条绳子上，将它们升起来代表一种信号，三面旗子的颜色搭配不同表示不同的信号. 用这两种颜色的三面旗子可以组成多少种不同的信号？

第 *23* 讲

明年的今天是星期几

"六一"儿童节是小朋友最喜欢的节日了. 每年的这一天, 小朋友会得到好多可爱的礼物. 其实一年中的节日可多了, 有元旦、春节、劳动节、国庆节等, 还有自己和家人的生日呢! 要知道这些重要的日子会在星期几, 除了翻看日历, 还可以用数学的方法来解决, 不过要掌握一些小窍门哦!

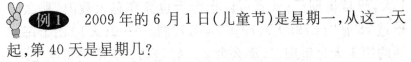

例1 2009 年的 6 月 1 日(儿童节)是星期一, 从这一天起, 第 40 天是星期几?

解 一个星期是 7 天, "六一"儿童节是星期一, 以这一天为这周的开始, 后面几天分别为星期二、星期三、星期四、星期五、星期六和星期日, 将这样的 7 天作为一组, 40 天里有 $40 \div 7 = 5(周) \cdots \cdots 5(天)$, 这 5 天是第六周的前 5 天, 分别是星期一、星期二、星期三、星期四、星期五. 所以第 40 天是星期五.

随堂练习1 2009 年的 6 月 1 日是星期一, 从这一天起第 63 天是星期几?

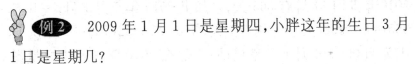

例2 2009 年 1 月 1 日是星期四, 小胖这年的生日 3 月 1 日是星期几?

解 先要统计 2009 年 1 月 1 日起到 3 月 1 日, 一共有多少天:2009 年是平年,1 月有 31 天,2 月有 28 天,再加上 3 月 1 日这 1 天,一共有 31＋28＋1＝60(天). 一周有 7 天,

$$60÷7＝8(周)……4(天),$$

这余下的 4 天是第 9 周的前四天,分别是星期四、星期五、星期六、星期日,所以小胖这年的生日是星期日.

随堂练习 2 2009 年 4 月 1 日是星期三,那么这一年的 8 月 1 日是星期几?

例 3 今天是星期二,再过 78 天是星期几?

解 根据题意,"再过 78 天"的第 1 天应是星期三,一周仍是 7 天,78÷7＝11(周)……1(天),这 1 天是第 12 周的第 1 天,应是星期三;或者可以把今天也算在总天数内,那么应该过 78＋1＝79(天),79÷7＝11(周)……2(天),由于每一周的第 1 天是星期二,那么余 2 正好是第 2 天应是星期三.

随堂练习 3 小明问:"今天是星期六,再过 69 天是星期几?"

例 4 2009 年的 6 月 1 日是星期一,2010 年的 6 月 1 日是星期几?

解 先要统计 2009 年 6 月 1 日起到 2010 年 6 月 1 日,一共有多少天:因为 2010 年是平年,所以从 2009 年 6 月 1 日到 2010 年 5 月 31 日有 365 天,再加上 2010 年 6 月 1 日,一共有 365＋1＝366(天). 一周有 7 天,366÷7＝52(周)……2(天),因为 2009 年 6 月 1 日是星期一,那么 2010 年 6 月 1 日是星期二.

随堂练习 4 2009 年 10 月 1 日(国庆节)是星期四,2010 年的 10 月 1 日是星期几?

说明 "巧算星期几"的问题,一般要先计算出总的天数,总天数要把开始的第一天和结束的最后一天包括在内,然后用总天数除以 7,看余数是多少,余 1 就是第一天,余 2 就是第二天,余 3 就是第三天……余 0 就是第七天.

例 5 5 月 5 日星期日,这一天是小宇的生日,全家人都围坐在一起庆祝.这时爸爸问小宇:"今年 8 月 8 日是妈妈的生日,你知道是星期几吗?"小宇略微思考了一下,就答对了,你知道这一天是星期几吗?

解 先统计总天数,从 5 月 5 日到 8 月 8 日的天数一共有 $27+30+31+8=96$(天),$96÷7=13$(周)……5(天),余下的 5 天是第 14 周的前 5 天,因为第 1 天是星期日,那么第 5 天是星期四,所以小宇妈妈 8 月 8 日生日那天是星期四.

随堂练习 5 某年的 7 月 7 日是星期三,那么这一年的 9 月 19 日是星期几?

例 6 2009 年 9 月 1 日是星期二,这一年的 7 月 1 日是星期几?

解 这个问题是根据最后一天来推算第一天是星期几,先统计总天数,从 7 月 1 日到 9 月 1 日的天数一共有 $31+31+1=63$(天),$63÷7=9$(周),因为 9 月 1 日是第 9 周的第 7 天,是星期二,那么第 9 周的第 1 天是星期三,第 1 周的第 1 天也是星期三,所以 7 月 1 日是星期三.

随堂练习6 2010 年的 8 月 1 日是星期日,那么这一年的 5 月 1 日是星期几?

练 习 题

1 某天是 4 月 8 日星期三,从这一天起第 59 天是星期几?

2 2009 年 7 月 1 日是星期三,那么这一年的 11 月 1 日是星期几?

3 2010 年的 10 月 1 日是星期五,那么 2011 年的 1 月 1 日是星期几?

4 兰兰说:"今天是星期日."小英问兰兰:"再过 49 天是星期几?"

5 如果 2011 年的"六一"儿童节是星期三,那么这一年的教师节是星期几呢?

6 2009 年 9 月 1 日是星期二,那么 2010 年 9 月 1 日是星期几?

7 2007 年的春节是 2 月 18 日,正好是星期日,那么这一年的 5 月 4 日青年节是星期几?

8 有一年的 2 月份正好有 5 个星期六,这一年的 5 月 1 日是星期几?

9 2009 年的 3 月 1 日是星期日,2008 年的 3 月 1 日是星期几呢?

10 有一天小丁丁对爸爸说:"爸爸,今天可是您的生日哦,正好是星期六,我们去公园庆祝吧."爸爸笑着说:"你记错了,爸爸的生日是 12 月 12 日,可不是 10 月 12 日."你知道小丁丁的爸爸生日那天是星期几吗?

第 *24* 讲

最 大 和 最 小

在生活中经常会出现最大和最小的问题,例如开展某项活动,怎样安排使所花费的钱最少;完成某项任务,怎样安排使花费时间最少.在数学中也会遇到解决最大值和最小值的问题,一般先要根据实际条件进行分析,从中发现规律后再解决问题.

例1 把11分成两个正整数的和,要使这两个正整数的乘积最大,这两个正整数分别是几？要使乘积最小,这两个正整数又分别是几呢？

解 我们先把11分成两个正整数的和的所有情况都列举出来,再进行分析比较:$11 = 1 + 10 = 2 + 9 = 3 + 8 = 4 + 7 = 5 + 6$,一共有五种不同的情况.再将每种情况的乘积算出来:$1 \times 10 = 10$,$2 \times 9 = 18$,$3 \times 8 = 24$,$4 \times 7 = 28$,$5 \times 6 = 30$.从中可以看出,当这两个正整数是 5 和 6 时,它们的乘积最大;当这两个正整数分别是 1 和 10 时,它们的乘积最小.

随堂练习 1 把 12 分成两个正整数的和,要使这两个正整数的乘积最大,这两个正整数分别是几？要使乘积最小,这两个正整数又分别是几呢？

说明 当两个正整数的和一定时,这两个正整数之间的差越小,它们的乘积就越大;相反,如果这两个正整数之间的差越大,那么它们的乘积就越小.

例2 两个正整数的乘积是 36,要使这两个正整数的和最大,这两个正整数分别是几? 要使和最小,这两个正整数又分别是几呢?

解 先把 36 分成两个正整数的乘积的所有情况都列举出来,再进行分析比较:$36 = 1 \times 36 = 2 \times 18 = 3 \times 12 = 4 \times 9 = 6 \times 6$,一共有五种不同的情况.再将每种情况的和算出来:$1 + 36 = 37$,$2 + 18 = 20$,$3 + 12 = 15$,$4 + 9 = 13$,$6 + 6 = 12$.从中可以看出,当这两个正整数都是 6 时,它们的和最小;当这两个正整数分别是 1 和 36 时,它们的和最大.

随堂练习2 两个正整数的乘积是 56,要使这两个正整数的和最大,这两个正整数分别是几? 要使和最小,这两个正整数又分别是几呢?

说明 当两个正整数的乘积一定时,这两个正整数之间的差越大,它们的和就越大;相反,如果这两个正整数之间的差越小,那么它们的和也就越小.

例3 把 14 分成几个正整数的和,要使这些数的乘积最大,应该怎样分? 最大的乘积是多少?

解 要想使乘积最大,分成的正整数的个数要尽量多一些,因为多一个数就可以多乘一次,乘积就会大.但是分成的正整数中却不能有 1,因为 1 乘任何数仍等于原数.同时分成的正整数中 2 的个数不能太多,因为如果把 6 分成 $2 + 2 + 2$,得到的乘积是 $2 \times 2 \times 2 = 8$,而把 6 分成 $3 + 3$,得到的乘积是

$3 \times 3 = 9$, 所以 2 的个数不能多于 2 个. 还有如果分出的数中有 5, 那么应该继续把它分成 $2+3$, 因为 $2 \times 3 = 6$ 大于 5, 所以分出的正整数都要小于 5.

那么把 14 应分成 $3+3+3+3+2$, 乘积是 $3 \times 3 \times 3 \times 3 \times 2 = 162$, 这个乘积是最大的.

随堂练习3 把 17 分成几个正整数的和, 要使这些数的乘积最大, 应该怎样分? 最大的乘积是多少?

✌ **例4** 不计算出下面两个乘法算式的乘积, 你能比较它们乘积的大小吗?

$$767 \times 676 \qquad\qquad 777 \times 666$$

解 在这两个乘法算式中, $767 + 676 = 1443$, $777 + 666 = 1443$, 两个因数的和相等, 而 $767 - 676 = 91$, $777 - 666 = 111$, $91 < 111$, 根据"当两个正整数和一定时, 两个正整数之间差越小, 积越大", 所以 $767 \times 676 > 777 \times 666$.

随堂练习4 不计算出乘积, 请比较下面两个算式的乘积的大小.

$$765 \times 654 \qquad\qquad 756 \times 663$$

✌ **例5** 从十位数 7677782980 中划去五个数字, 使剩下的五个数字(先后顺序不变)组成的五位数最小, 最小是几?

解 要使剩下的五个数字组成的五位数最小, 那么最高位留下的数字要尽量小. 经尝试后, 发现下面的划法使剩下的数字组成的五位数最小: 7̶ 6 7̶ 7̶ 7̶ 8̶ 2 9 8 0, 那么这个最小的五位数是 62980.

在多位数 464748495051 中划去六个数字,使剩下的数字(先后顺序不变)组成的六位数最大,这个最大的六位数是多少?

例6 用1分、2分和5分硬币凑成1元,这三种硬币都要用,那么最少用几个硬币?

解 如果要使硬币的个数最少,那么要尽量多用5分硬币.因为三种硬币都要用,那么5分硬币用19个,可以组成95分,剩下的5分由2个2分硬币和1个1分硬币组成,正好等于100分,也就是1元.因此最少用硬币 $19+2+1=22$(个).

随堂练习6 用1分、2分和5分硬币凑成1元,这三种硬币都要用,那么最多用几个硬币?

练 习 题

1 有甲、乙两个数,它们的和是19,甲、乙分别是几,它们的乘积最大?

2 a、b 是两个正整数,如果 $a \times b = 64$,那么 $a+b$ 的和最小是几?

3 把 17 分成两个正整数的和,使这两个正整数的乘积最大,这两个正整数分别是几?

4 把 100 分成两个正整数的和,使这两个正整数的乘积最小,这两个正整数分别是几?

5 把 48 分成两个正整数相乘,要使这两个正整数的和最大,它们应该等于几? 要使这两个正整数的和最小,它们又应该等于几?

6 把 19 分成几个正整数的和,要使这些数的乘积最大,应该怎样分? 最大的乘积是多少?

7 不计算出乘积,请比较下面两个算式的乘积的大小.

$$9876 \times 8765 \qquad\qquad 9875 \times 8766$$

8 一个五位数与 9 的和是没有重复数字的最小五位数,原来的五位数是几?

9 用卡片 $\boxed{1}$ $\boxed{9}$ $\boxed{9}$ $\boxed{5}$ 排成四位数,其中最大数和最小数的和是多少?(卡片可以颠倒使用)

10 一排有 20 个座位,其中有些座位已经有人了,若新来一个人,他无论坐在何处,都有一个人与他相邻,那么原来至少有多少人就座?

11 120 名少先队员选举大队长,三个候选人分别是小胖、小亚和小丁丁,每个少先队员只能选他们中的一个人,不能弃权.在前 100 张选票中,小胖得 45 票,小亚得 20 票,小丁丁得 35 票.如果小胖要保证当选,那么最少还需要多少张选票?

第 25 讲

简单的操作问题

在某些数学问题中,需要一边做、一边探索、一边调整,这样的问题将思考和"操作"结合在一起,我们称为"操作题".解决这类问题要综合运用我们所学的知识和技巧.在二年级即将结束的时候,我们来思考一些这类问题.

例1 一盒糖共 40 粒,按小光 3 粒、小科 2 粒、小新 4 粒的顺序发给他们,最后一粒是谁得到的?

解 $3+2+4=9(粒)$,$4×9=36(粒)$,$40-36=4(粒)$,正好可以给小光 3 粒,最后 1 粒给小科.

随堂练习1 彩珠按红、黄、蓝、白的颜色串起来,每种颜色每次串 1 粒,串到第 39 粒时,应该是什么颜色的?

例2 把 11 个苹果分别装入 4 个盘子里,每个盘子里都要有苹果,而且每个盘子里苹果的个数不一样多.放苹果最多的盘子里有多少个苹果?

解 $1+2+3+4=10(个)$,有一个盘子最多为

$$4+1=5(个).$$

随堂练习2 慧慧有一架天平和 1 克、2 克、4 克的砝

码各一个,砝码只能放在天平的一边,可以称多少种不同重量的物品?

例3 如图 25-1,四个小动物换座位,开始时,小鼠坐在 1 号位,小猴坐在 2 号位,小兔坐在 3 号位,小猫坐在 4 号位.以后,它们不停地交换位置,第 1 次上下两排交换,第 2 次是在第 1 次交换后再左右两排交换,第 3 次再上下两排交换,第 4 次再左右两排交换……这样一直交换下去.问:第 10 次交换位置后,小兔坐在第几号位置上?

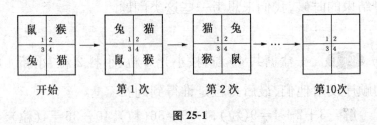

图 25-1

解 每 1 次交换座位,小兔的座位按顺时针方向转动一格,每 4 次交换座位,小兔的座位又回到开始如图 25-2,小兔用黑斜体突出显示.

图 25-2

经过 8 次交换位置后,小兔又回到开始(3 号位),第 9 次相当于第 1 次的位置;第 10 次相当于第 2 次的位置,此时,小兔在2号位置.

随堂练习3　　如图25-3,开始时,小胖在田字格内放了☆、◇、○和△四个图形,并且编了位置的号码.小胖第1次把左右两列图形交换,第2次再把上下两行图形交换,第3次再把左右两列图形交换……这样一直交换下去.问:第20次交换后,☆在第几号格子中?

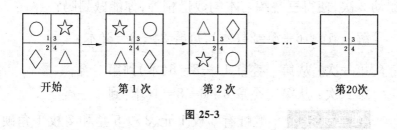

开始　　　　　第1次　　　　　第2次　　　　　第20次

图 25-3

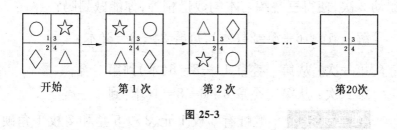 **例4**　　9张卡片,上面分别写着1~9这9个正整数.能不能将这9张卡片平均分成3组,使每组中3张卡片上数的和相等.

　　解　能,由于

$$1+2+3+4+5+6+7+8+9=45=15+15+15,$$

因此,所分的三组中,3个数的和均应等于15.下面就是一种分法:

第1组:(1, 9, 5)

第2组:(3, 4, 8)

第3组:(2, 6, 7)

还可以有其他分法,小朋友不妨试一试.

随堂练习4　　有9张卡片上分别写着4~12这9个正

整数,将这9张卡片平均分成三组,使每组中3张卡片上数的和相等.

例5 桌上放着三叠练习本,第一叠 14 本,第二叠 6 本,第三叠 4 本.现在请你从任意一叠中拿出几本放到另一叠去,规定拿过去的本数必须与那一叠原来的本数相等.如果只许挪动 2 次,使得三叠练习本的数量相等,你能做到吗?

解 14+6+4=24(本),每叠 24÷3=8(本).

第一次:从第一叠拿 14-8=6(本)到第二叠;

第二次:从第二叠拿 6+6-8=4(本)到第三叠.

随堂练习5 虹虹有 5 枚 1 元、3 枚 5 角和 7 枚 1 角硬币.她要把这些硬币分成钱数相等的两份,该怎么分?

例6 有一大杯水,还有两只分别为 3 毫升和 5 毫升的量杯,怎样才能准确地倒出 4 毫升的水呢?

解 如果 5 毫升的量杯中有 1 毫升水,那么再把 3 毫升量杯装满后倒入 5 毫升的量杯中,这时杯中正好是 4 毫升水.

倒的具体步骤如下:

第一次把 3 毫升量杯装满水后倒入 5 毫升量杯;

第二次再把 3 毫升量杯装满倒入 5 毫升量杯中,此时 3 毫升杯中余 1 毫升水;

第三次把 5 毫升杯内的水倒掉,将 3 毫升杯内余下的 1 毫升水倒入 5 毫升杯子,最后再装满 3 毫升的水倒入 5 毫升的杯子,这时 5 毫升杯内就有 4 毫升水.

随堂练习6 有 12 个体积相同的圆柱桶,其中 2 个装满水,5个装了一半水,5个是空的.将这些桶分给3个人,使得每个人得到的桶数相同,水量也相同,应该怎样分(不许将水倒出)?

例7 有8个玻璃球,颜色、大小都一样,但其中有1个玻璃球比其他球都重.你能利用天平只称两次就找到这个球吗?

解 解决这个问题,要充分利用天平,可以称出两边玻璃球重量是否相等.如果两边平衡,就表明要找的玻璃球不在其中.

第一次,天平两边各任意放3个球,这时会有两种可能,可能之一是两边平衡,那么稍重的玻璃球在余下的2个球中,因此第二次只要称余下的2个球,哪一边重就能确定要找的玻璃球在哪一边.可能之二是天平的一边比另一边重,那么较重一边的3个球中一定有这个玻璃球.第二次称时只要从这3个球中任意取2个,如果平衡,剩下的那个球就是;如果不平衡,较重的一边就是要找的那个玻璃球.

随堂练习7 有8块石头,外形、颜色都一模一样,其中有一块重量比较轻.现在有一个天平,最少称几次才能找到这块石头?

练 习 题

① 如图,这堵墙缺少了几块砖?

第1题

2 如图,还要补(　　)块三角形,才能铺满整个图形.

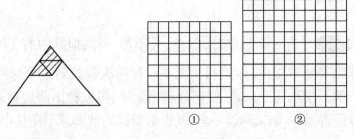

第 2 题　　　　　　　　　　第 3 题

3 如图①,每边 8 个格子,四周沿边一行格子放满棋子,共要多少个棋子? 放两行呢?

如图②,每边 10 个格子,四周沿边一行格子放满棋子,共要多少棋子? 放两行呢?

4 8 根香蕉分成 2 堆,每堆至少分 1 根香蕉,有几种不同的分法?

5 一个圆形蛋糕,切三刀最多能切成几块?

6 体育老师把一条长 12 米的绳子,剪成等长的短绳,一次剪下一根,共剪了 3 次.问每根短绳长多少米?

7 用一根绳子绕树干一圈,绳子还多 2 米,再接上一根 2 米长的绳子,就正好又能绕树一圈.这根绳子原来长多少米?

8 如图,有 8 个杯子,前 4 个杯子有水,后 4 个杯子无水.如果只动其中 2 个杯子,能使有水的杯子被无水的杯子隔开吗?

第 8 题

9 9 个乒乓球颜色、大小都一样,其中有 1 个是次品,它的重量比较轻,用天平最少称几次能找到这个次品球?

10 20 枚棋子围成一个圆圈,按顺时针方向编号 1,2,3,…,18, 19, 20,从几号棋子开始,每隔一个取走一个,使得最后剩下的一个棋子的号码是 6?

参 考 答 案

第 1 讲　加减法中的简便运算

随堂练习

1 (1) 211　(2) 210　**2** 900　**3** (1) 357　(2) 528
4 (1) 221　(2) 71　**5** 424　**6** 700

练习题

1 (1) 624　(2) 3760　**2** (1) 2217　(2) 6239
3 (1) 1900　(2) 1900　**4** (1) 326　(2) 574　**5** (1) 35
(2) 71　**6** 1002　**7** 421　**8** 7772　**9** (1) 100　(2) 105
10 2222177778　**11** 5371859462814　**12** 20

第 2 讲　用加减法关系来求未知数

随堂练习

1 (1) $x=13$　(2) $x=17$
2 设要求的数为 x，$x=22$
3 (1) $x=72$　(2) $x=16$
4 设要求的数为 x，$x=75$
5 设一支圆珠笔 x 元，$x=7$
6 设同学们借去了 x 本，$x=27$

练习题

1 和　一　另一个加数　被减数　差　减数　减法

加法

2 (1) × (2) × (3) ✓

3 (1) A (2) A

4 (1) $x=19$ (2) $x=39$

5 (1) $x=94$ (2) $x=11$

6 (1) 设要求的数为 x, $x=33$ (2) 设被减数是 x, $x=118$

(3) 设减数是 x, $x=52$

7

加数	53	53	86	9	17	38
加数	28	26	57	63	71	27
和	81	79	143	72	88	65

8

被减数	53	79	86	135	88	92
减数	28	26	57	63	71	27
差	25	53	29	72	17	65

9 设参加竖笛班的有 x 人, $x=36$

10 设小武读了 x 页, $x=26$

11 设航模小组有 x 人, $x=24$

12 设学校买来 x 盒粉笔, $x=198$

第3讲 火柴棒游戏

随堂练习

1 $12-11=1$

2 有两种方法:

(1) $4+7-11=\square$

(2) $4+7-1=1\square$

3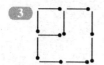

4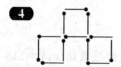

5 有两种方法：

(1) $1\Box - 3 + 2 = 9$

(2) $1\Box - 3 - 2 = 13$

6 $114 + 1 - 111 = 4$

练习题

1 $21 + 39 = 60$

2 (1) $17 + 7 = 17 + 7$

(2) $77 - 7 = 77 - 7$

3 答案不唯一　如图①、图②是其中的两种拼法

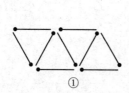

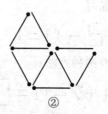

4 答案不唯一　如图：

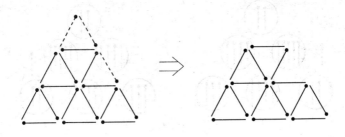

5 (1) $51 + 31 = 82$

(2) $92 - 62 = 30$

6 (1) $7 + 7 = 14$

(2) $11 + 1 + 1 + 1 = 14$

或 $1 + 1 + 11 + 1 = 14$

7 最少可以拼成 4 个大小相同的正方形,如图①

最多可以拼成 5 个大小相同的正方形,如图②

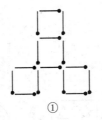

①

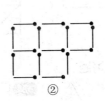

②

8
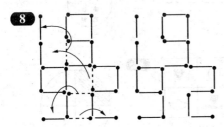

9 如图①或图②

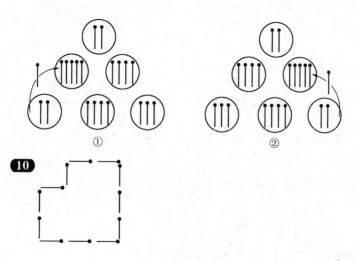

① ②

⑩

第4讲 接着画下去

随堂练习

1 2 3 4

5 6

练习题

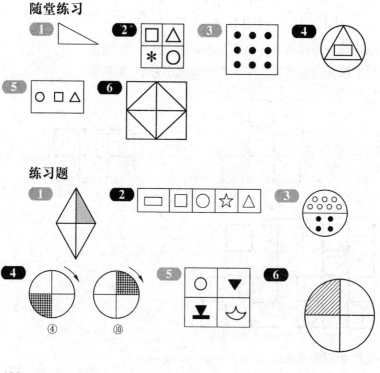

7

8 规律是：(1) 1白2黑3白4黑5白6黑……

7白   8黑

(2) 1黑5白2黑4白3黑3白……

4黑 2白 5黑 1白

9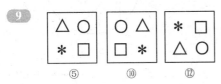

⑤   ⑩   ⑫

第5讲　比比长短

随堂练习

1 ②号线最短　**2** ②号线最长　①号线最短　**3** 小猴先吃到梨　**4** ①号线路最长

练习题

1 小明家离学校近　**2** 白猫先捉到老鼠

3

如图所示,有两条路可走,靠右边的那条路更近些

4 从上到下,三根绳子的编号依次是③②①　**5** 丁先拿到皮球

6 最长的彩带是②号　**7** 小明先拿到红旗　**8** 小明先到

第6讲　图形的剪拼

随堂练习

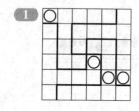

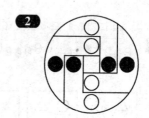

3 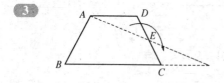　或　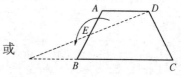

注：E 为 DC 的中点　　　注：E 为 AB 的中点

4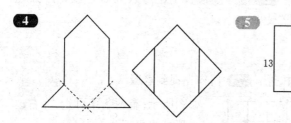

5

至少可以剪成面积大小不同的正方形 7 个

练习题

1

2

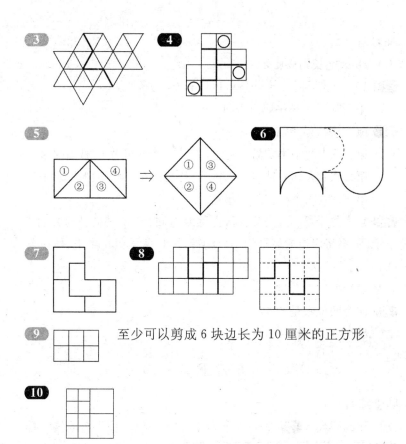

至少可以剪成 6 块边长为 10 厘米的正方形

第 7 讲　数学趣题（一）

随堂练习

1 20 只猫 20 天就可以捉 100 只老鼠

2 煎 2011 块饼最少需要 4022 分钟

3 第一次：把鸡带过河,自己划回来　第二次：把狗带过河,把鸡带回来　第三次：把菜带过河,自己划回来　第四次：把鸡带过河

4 88＋88＋8＋8＋8－200

5 顺序为丁、丙、甲、乙,最少是 20 分钟

练习题

①　28 天能长到 5 厘米

②　100 只猫同时吃 100 条鱼也只需要 3 分钟

③　小巧喝了 1 杯牛奶、1 杯水

④　煎 3 块饼最少需要 5 分钟

⑤　第一次：两个小和尚一起过河，让一个小和尚把船划回来

　　第二次：大和尚独自一人过河，让另一个小和尚把船划回来

　　第三次：两个小和尚一起过河

⑥　猎人先带 2 只兔子过河，再驾船返回，带 2 只狗过河并将 2 只兔子带回，再将岸边的剩下的 1 只狗带过河，兔子留在岸上，然后驾船返回将兔子带过河

⑦　最少要用 5 分钟

⑧　这个四位数是 6947

⑨　最少要 13 分钟

第 8 讲　数 学 趣 题（二）

随堂练习

①　和比积大　②　第三天 B 与 C 比赛　③　两人花的钱一样多　④　⑤　卖鱼的人赔了钱

操作顺序	10 升瓶	7 升瓶	3 升瓶
开始	10	0	0
1	7	0	3
2	7	3	0
3	4	3	3
4	4	6	0
5	1	6	3
6	1	7	2
7	8	0	2
8	8	2	0
9	5	2	3
10	5	5	0

练习题

①　这 100 名妇女一共戴有 100 只耳环

②　全家一共有 6 人

③　"一百万"是 3 个字,标价是 3 元

④　一年中有 12 天两国的日期写法相同

⑤　这两个数是 23 和 19

⑥　这辆车上至少应有 25 个座位

⑦

学生＼盒子	满的	半满的	空的	合　计
第一个学生	3	1	3	3 盒半铅笔
第二个学生	3	1	3	3 盒半铅笔
第三个学生	1	5	1	3 盒半铅笔

⑧　$4 \times 5 - 4 = 16$(棵)

第 9 讲　两步运算应用题

随堂练习

①　最多 20 颗　最少 8 颗　　②　比原来多 7 箱　　③　7 个

④　糖的重量:12 千克　盒子的重量:2 千克　　⑤　甲 9 岁

练习题

①　卡车比轿车多 2 辆　　②　可能有 2 种情况:① 这种本子一本 5 角　② 这种本子一本 5 角 1 分　　③　90 个　　④　48＜56,所以不够吃　　⑤　4 厘米　　⑥　苹果的重量:44 千克　筐的重量:2 千克　　⑦　32 只　　⑧　大桶:27 千克　小桶:23 千克　　⑨　正确的和是 89　　⑩　小明做的朵数:17 朵　小李做的朵数:10 朵　小红做的朵数:15 朵

第 10 讲　画图法解应用题

随堂练习

1 一共有 14 个小朋友在报数　　**2** 小明和胖胖之间隔了3个人　　**3** 李老师要给王老师3本练习本,两人的练习本就同样多了　　**4** 至少有4人已经就座　　**5** 有3种不同的放法

练习题

1 君君排在第 13 个　　**2** 第一小队一共有11个小朋友　　**3** 一共有 26 个小朋友去参观博物馆　　**4** 一共要种6棵树　　**5** 小明比小红多 8 支铅笔　　**6** 妹妹原来有10支铅笔　　**7** 要锯 3 次　　**8** 从一楼来到七楼要用18分钟　　**9** 妈妈带了17元钱去买苹果　　**10** 每排队伍长9米

第 11 讲　倒推法解应用题

随堂练习

1 张老师和王老师一共有 9 条连衣裙　　**2** 玩具店里原来共有 20 个卡通玩具　　**3** 第 6 个数是 21　　**4** 小明爷爷今年 85 岁　　**5** 这个数是 1

练习题

1 合唱组有 24 个同学　　**2** 原来树上有 32 个桃子　　**3** 这筐鸡蛋有 20 只　　**4** 姐姐比哥哥少 9 张邮票　　**5** 爸爸买回来 20 颗巧克力　　**6** 妈妈一共买了 6 块巧克力　　**7** 这个数是 16　　**8** 这个数是 20　　**9** 这个数是 17　　**10** 这个数是 1

第 12 讲　列表法解应用题

随堂练习

1 如果来电灯应该是亮着的　　**2** 它们的和是 $652+256=$

908　③ 有 12 种不同的穿法　④ 这个书架上一共有 84 本书

⑤ 梨树：14 棵　桃树：11 棵　苹果树：7 棵

练习题

① 共可以组成 6 个没有重复数字的三位数,其中最大的是 841,最小的是 148,它们的差是 841－148＝693

② 共可以组成 4 个没有重复数字的三位数,其中最大的数是 740,最小的数是 407,它们的和是 1147

③ 可以组成 6 个没有重复数字的两位数,其中最大的是 73,最小的是 23

④ 共有 6 种不同的排法

⑤ 共有 6 种不同的方法

⑥ 最大的是 962　最小的是 206

⑦ 甲 18 岁　乙 11 岁　丙 9 岁

⑧ 甲 5 岁　乙 3 岁

⑨ 最多可以喝到 100 瓶可乐

⑩ 男生 12 人　女生 10 人

第 13 讲　简 单 推 理（一）

随堂练习

① 丁胜 0 场　② 1—4　2—3　5—6　③ 女同学有 4 人

④ 两个轻球的编号分别是④和⑤　⑤ C 和 D 得了优

练习题

① 1 只鸭的重量：4 千克　1 只小猪的重量：10 千克　1 只小熊猫的重量：20 千克　② 李大爷家一共有 16 只兔子　③ 一支钢笔可以换 12 支铅笔　④ ？处应填 7　⑤ ②　⑥ 打"?"处的数字应为 2 或 3　⑦ 大毛或小毛都有可能是第四名　⑧ 甲的同班女生是 C

贴的标签	两个黑球	两个白球	一黑一白
实际可能情况(1)	两个白球	一黑一白	两个黑球
实际可能情况(2)	一黑一白	两个黑球	两个白球

第14讲 简单推理（二）

随堂练习

1 1只小熊猫和4只小兔一样重　**2** 买一条连衣裙的钱可以买8条毛巾　**3** 1个梨和6个橘子一样重　**4** 丁、丙、甲、乙　**5** 1与5相对　2与4相对　3与6相对　**6** 是丁打碎了玻璃　**7** "?"的这面上写着"3"

练习题

1 1只小猪的重量＝4只小公鸡的重量　**2** 2个西瓜的重量＝24个苹果的重量　**3** □＝7　**4** △＝5　**5** 香蕉50克　苹果100克　梨150克　**6** 1只鸭重4千克,1只小公鸡重1千克　**7** 1只足球的价钱＝8个羽毛球的价钱　**8** 狗的对面是猪　鹿的对面是牛　兔的对面是猫　**9** ① 小晶　② 豆豆　③ 小林　④ 乐乐　⑤ 贝贝　**10** (1) C与E之间有4米　(2) 紧跟在C后面的是D,相距3米　(3) 最前面的人与最后面的人之间有10米　**11** 这个商品编号是724

第15讲 有趣的余数

随堂练习

1 分给了15个小朋友　**2** 这箱连环画共有46本　**3** 被除数最大是62,最小是57　**4** 要使除数最小,被除数是170　**5** 符合要求的数为9、18、27、36、45、54、63　**6** 第2010组是(3，6，2)

练习题

1 (1) □=45 (2) △=7 (3) ☆=4 **2** 第一小队有 8 人
3 至少拿走 5 只,每个小朋友分到 5 只桃 **4** 被除数最大是 99,
最小是 91 **5** 除数最小是 6,这时被除数是 29 **6** 余数最大是
7,这时被除数是 31 **7** 符合要求的数为 5、10、15 **8** 明明坐在 8
排 18 座 **9** 从大黑点逆时针方向数,数到 8,这一个小黑点即是
10 有 27 次两人报的数相同

第 16 讲　锻炼思维的 24 点

随堂练习

1 固定因数 2 时,2×(4+4+4)=24　固定因数 4 时,4×(4+
4−2)=24　**2** 3+3 凑成 6 时,(3+3)×(9−5)=24　3+5 凑成 8
时,(3+5)×(9÷3)=24　**3** 8+9+10−3=24　**4** 4×7−7+
3=24 或 3×7+7−4=24　**5** 2×(10+5)−6=24 或 10×(5−2)−
6=24　**6** (5×10−2)÷2=24

练习题

1 1×1×3×8=24　3×8÷1÷1=24　1×3×8÷1=24
(3+1−1)×8=24　(8+1−1)×3=24　3×8+1−1=24　**2** 2+
6+8+8=24　8×(6−2)−8=24　6×(8−8÷2)=24　**3** 3+6+
7+8=24　3×8×(7−6)=24　3×8÷(7−6)=24　(8+3−7)×
6=24　**4** 6×4×4÷4=24　(4+4−4)×6=24　6×4+4−4=24
(6+4−4)×4=24　**5** 8×(5−10÷5)=24　(10+5)×8÷5=24
6 (5+7)×(8−6)=24　(5+7−8)×6=24　8÷(7−5)×6=24
6÷(7−5)×8=24　**7** 6×10−6×6=24　**8** 7×(9−7)+10=
24　**9** 8×10−7×8=24　**10** 8×9÷(10−7)=24　**11** 7×
(10−8)+10=24　**12** 8×(10−8)+8=24

第 17 讲　钟面上的数学

随堂练习

1 小明一天在校共 8 小时 30 分钟 **2** 小明要在车站上等 7

分钟才能乘上下一班车 **3** **4** (1) 车次⑥

10：20发车,12：25到达终点 (2) 这条线路一列火车行驶全程的时间为 2 小时 5 分钟 **5** 1 时 30 分 **6** 7 点整 **7** 至少要经过 72 天才能再次同时显示标准时间

练习题

1 4 时 05 分－2 时 15 分＝1 小时 50 分钟 **2** 12＋8－9＝11 (小时) **3** 来回都步行要用 12 分钟 **4** 太阳不会出来 **5** (1) 镜面①表示的时刻为 7 时 55 分 镜面②表示的时刻为 5 时 40 分 (2) 时间差为 2 小时 15 分钟 **6** 11 时 52 分 **7** 他家的闹钟停了 80 分钟 **8** 略

第 18 讲 这本书有多少页

随堂练习

1 一共用了 161 个数字 **2** 这本书一共有 69 页 **3** 一共用了 20 个"8" **4** 这本故事书有 120 页 **5** 还要增加 30 个数字 **6** 不含数字"2"和"8"的页码共有 30 个

练习题

1 这本故事书共有 52 页 **2** 一共用了 151 个数字 **3** 最后一页的页码是 70 **4** 一共用了 492 个数字 **5** 数字"0"在页码中一共出现了 22 次 **6** 数字"1"出现了 57 次 **7** 这本故事书有 130 页 **8** 比原先少用 16 个数字 **9** 不含数字"0"和"3"的页码,一共有 37 个 **10** "1"和"5"一共出现了 48 次

第 19 讲 逆序推理法

随堂练习

1 第 9 天 **2** 原来商店里一共有 22 块卡通手表 **3** 原来

这袋苹果有 14 个　❹ 第一个篮子原来有苹果 13 个　第二个篮子原来有苹果 12 个　第三个篮子原来有苹果 5 个

练习题

❶ 4 分钟时篮子里有一半的苹果　❷ 这根绳子长 20 米　❸ 这堆苹果原来有 24 个　❹ 小丽原来有 24 元　❺ 小丸子原先一共采了 22 只苹果　❻ 老师一共买来 22 本练习本　❼ 这捆电线原来总长 54 米　❽ 小胖原有 4 张　小亚原有 4 张　小丁丁原有 7 张　❾ 第一层原有 18 瓶　第二层原有 27 瓶　第三层原有 15 瓶　❿ 甲桶原有油 24 千克　乙桶原有油 14 千克　丙桶原有油 10 千克

第 20 讲　简单的周期问题

随堂练习

❶ 第 107 个图形是☆　❷ 最后一颗应染黑色　❸ 第 61 盏灯是红色　61 盏灯里黄灯有 10 盏　❹ 第 25 个数是 2　这 25 个数的和是 58　❺ 99 在第 25 行的 D 类　❻ 有 21 次两人报的数相同

练习题

❶ 第 100 颗珠子是●　❷ 共有 24 个△　❸ 第 15 棵为香樟树　第 30 棵为广玉兰　❹ 第 50 只彩灯是黄色的　红色的彩灯共有 9 只　❺ 最后一面彩旗是黄色的　红旗共有 24 面　❻ 前 30 个数的和是 102　❼ (1) 和是 145　(2) 共加了 154 个数　❽ 第 100 个数是 6　❾ 最后一个学生应该站在第三列　❿ 第 95 组是 (布, B, 1)　所有数字之和是 347

第 21 讲　奇数和偶数

随堂练习

❶ 最多有 4 个奇数　❷ 4 个小朋友分别得到苹果的个数是

2、2、3、3，它们分别是偶数、偶数、奇数、奇数　**3** 奇数有 18 个，偶数也有 18 个，所以奇数和偶数同样多　**4** 第 27 个数是奇数　第 60 个数是偶数　**5** 和是奇数　**6** 16 号

练习题

1 奇数和偶数分别有 2 个　**2** 奇数比偶数多 1 个，奇数有 30 个，偶数有 29 个　**3** 各班分得足球的个数是 2、2、2、3、3，它们分别是偶数、偶数、偶数、奇数、奇数　**4** 每组分到的皮球个数分别是 1、3、5、7、9 个　**5** 贺卡的总数是偶数　**6** 第 11 个数是奇数　第 100 个数是偶数　**7** 奇数有 24 个　偶数有 25 个　**8** 第 35 个数是偶数　**9** 和是偶数　**10** 24 排 6 座、8 座和 10 座　**11** 偶数　**12** 这名同学第一次报 32 号

第 22 讲　智　力　计　数

随堂练习

1 共放入 3 片树叶　**2** 钟打六下要 30 秒　**3** 45 根　**4** 37 块　**5** 共有 6 种排法　**6** 共有 5 种不同的取法　**7** 一共有 9 个

练习题

1 一共要打 99 个结　**2** 一共有商店 20 家　**3** 72 个　**4** 两边共插 18 面彩旗　**5** 六个人同时唱这首歌也只需要 3 分钟　**6** 第五天应从第 25 页看起　**7** 将绳子分成 11 段　**8** 用了 11 秒　**9** 还需要 64 秒　**10** 一共有 6 种不同的涂法　**11** 一共有 12 种　**12** 共有 8 种

第 23 讲　明年的今天是星期几

随堂练习

1 第 63 天是星期日　**2** 2009 年的 8 月 1 日是星期六

3 再过 69 天是星期五　　**4** 2010 年 10 月 1 日是星期五　　**5** 9 月 19 日是星期日　　**6** 星期六

练习题

1 从这一天起第 59 天是星期五　　**2** 2009 年的 11 月 1 日是星期日　　**3** 2011 年的 1 月 1 日是星期六　　**4** 再过 49 天是星期日　　**5** 教师节(9 月 10 日)是星期六　　**6** 2010 年的 9 月 1 日是星期三　　**7** 这一年的 5 月 4 日青年节是星期五　　**8** 这一年的 5 月 1 日是星期五　　**9** 2008 年的 3 月 1 日是星期六　　**10** 小丁丁爸爸的生日 12 月 12 日是星期四

第 24 讲　最大和最小

随堂练习

1 当这两个正整数都是 6 时,它们的乘积最大
当这两个正整数分别是 1 和 11 时,它们的乘积最小

2 当这两个正整数分别是 1 和 56 时,它们的和最大
当这两个正整数分别是 7 和 8 时,它们的和最小

3 乘积最大是 486

4 两个正整数之间差越小,积越大　　$765 \times 654 < 756 \times 663$

5 最大的六位数是 895051

6 最多用硬币 95 个

练习题

1 甲、乙分别是 9 和 10,它们的乘积最大

2 a、b 都等于 8,它们的和最小是 16

3 把 17 分成 8+9,它们的乘积最大

4 把 100 分成 1+99,它们的乘积最小

5 要使和最大,它们应该是 1 和 48
要使和最小,它们应该是 6 和 8

6 19＝3＋3＋3＋3＋3＋2＋2　乘积最大是 972

7 9876×8765＜9875×8766

8 10234－9＝10225

9 最大数是 9951　最小数是 1566　它们的和是 11517

10 原来至少已有 7 个人就座

11 小胖要保证当选,最少还需要 6 张选票

第 25 讲　简单的操作问题

随堂练习

1 第 39 粒应该是蓝色的

2 可以称 7 种不同重量的物品

3 交换 20 次,☆正好回到原处,在 3 号格内

4 第 1 组(4, 9, 11)　第 2 组(5, 7, 12)　第 3 组(6, 8, 10)

5 一份是 3 个 1 元,6 个 1 角

另一份是 2 个 1 元,3 个 5 角,1 个 1 角

6

甲	1 桶水	1 个半桶水	2 个空桶
乙	1 桶水	1 个半桶水	2 个空桶
丙		3 个半桶水	1 个空桶

7 最少称 2 次

练习题

1 少 16 块砖

2 还要补 13 块三角形

3 ① 每边 8 个格子:

沿边放一行,共要 28 个棋子

沿边放两行,共要 48 个棋子

② 每边 10 个格子:

沿边放一行,共要 36 个棋子

沿边放两行,共要 64 个棋子

4 4 种

5 切 3 刀最多切成 7 块

6 每根长 3 米

7 原来的绳子长 6 米

8 将左起第 1 和第 3 个杯子中的水倒入第 6 和第 8 个空杯中或者将左起第 2 和第 4 个杯中的水倒入第 5 和第 7 个空杯中

9 最少称 2 次

10 从 19 开始拿,最后剩下棋子号码为 6

华东师范大学出版社

小学生课外读物

📖 **《数学奥林匹克小丛书·小学卷》**（4种）

《巧解应用题》/ 单墫 张玉香 著

　　本书侧重于非传统的应用题,它不是照搬固定的模式就能解决的,因而有助于开拓学生的眼界,发展他们的创造能力.本书分为上下两篇.上篇"仙人的手指",以介绍解题方法为主.下篇"形形色色的问题",侧重于对具体题目的分析.最后还有三十多道习题及其解答.

《整数问题》/ 邰舒竹 编著

　　本书主要研究小学数学中的整数问题,基本涵盖了各级各类小学数学竞赛中整数问题的类型和常用方法.力图从历史文化、问题背景、思想方法、方法来源四个方面展示问题和问题的解决.本书编写的特点在于突出"过程"与"联系",着力点在于问题的"发生"与"发展".同时注意到深入浅出、图文并茂.本书特别适合小学中、高年级学有余力的学生自学,也可作为各级各类小学数学竞赛的培训教材,以及小学数学教师教学科研的参考.

《图形问题》/ 熊斌 周洁婴 编著

　　图形问题对小学生来说是非常直观和有趣的,然而又是数学中的一个难点.本书介绍了小学数学竞赛中常见的图形问题的基本知识、解题方法和技巧,通过对一些有趣的、新颖别致的例题和习题的讲解,拓宽学生的视野,培养学生灵活运用知识的能力,提高思考问题和解决问题的能力.

《巧算、字谜与逻辑问题》/ 胡大同 编著

　　本书内容包括三个方面:巧算、字谜、逻辑推理.这些内容在小学的课外活动和数学竞赛中经常出现.它的基础源于课本,包括四则运算的定义、法则、性质和最基本的推理方法.但作为课外活动则是在课本知识的基础上着重于这些知识的灵活应用,着重于计算能力和推理能力在技巧方面的拓展和提高.总之,着重于思维能力的提高.

📖 《多功能题典·小学数学竞赛》　　　　　　　朱华伟　编著

这是一本可以查的题典,进入 http://tidian.ecnupress.com.cn 网站,就像使用 Google 和百度一样方便。

📖 《数学思维训练导引》（三年级～六年级）　　徐鸣皋　主编

这是一套少年儿童数学智优教育的典范教材,被指定为全国华罗庚数学竞赛推荐教材。作者团队年轻而强大,他们曾在各层次的数学竞赛中取得优异成绩,有些甚至是国际数学奥林匹克的金牌得主。

📖 《优等生数学》（一年级～六年级）

这是一套适应面更广的优等生读物,大约是针对数学学习成绩前面 20％的那部分. 各册分 72 个专题,每一专题设"经典例题"、"解题策略"、"画龙点睛"、"举一反三"、"融会贯通"5 个栏目. 作者均为智优生教育专家.

以上图书各大新华书店有售（可向当地书店订购）. 邮购者可与华东师大出版社读者服务部联系（地址:200062,上海中山北路 3663 号;电话:021－62869887）,邮挂费为书价的 10％.